本書荷蒙
行政院新聞局「重要學術專門著作評審委員會」評定惠予出版補助
謹申謝忱

文史哲學集成

彭雅玲著

史通的歷史敘述理論

文史哲出版社印行

國立中央圖書館出版品預行編目資料

史通的歷史敘述理論 / 彭雅玲著. -- 初版. --
臺北市: 文史哲, 民82
8,238面 ; 21公分. --(文史哲學集成 ; 280)
參考書目:面
ISBN 957-547-200-4(平裝) NT$ 220

1.(唐)劉知幾 - 學識 - 史學 2. 史通
- 批評,解釋等 3. 中國 - 史學 - 批評,解釋等

610.81 82001634

文史哲學集成 ㉘⓪

史通的歷史敘述理論

著者:彭雅玲
出版者:文史哲出版社
登記證字號:行政院新聞局局版臺業字五三三七號
發行人:彭正雄
發行所:文史哲出版社
印刷者:文史哲出版社
台北市羅斯福路一段七十二巷四號
郵撥〇五一二八八一二彭正雄帳戶
電話:三五一一〇二八
實價新台幣三八〇元
中華民國八十二年六月初版

ISBN 957-547-200-4

史通卷第一

內篇

自古帝王編述文籍外言之備矣古往今來質文遞變諸史之作不恒厥體榷而爲論其流有六一曰尚書家二曰春秋家三曰左傳家四曰國語家五曰史記家六曰漢書家今畧陳其義列之於後

尚書家者其先出於太古易曰河出圖洛出書聖人則之故知書之所起遠矣至孔子觀書於周室得虞夏商周四代之典乃删其善者定爲尚書百篇孔安國曰以其上古之書謂之尚書尚書旋機鈐曰尚者

㈠史通二十卷　唐劉知幾撰　明正德嘉靖間蜀刊本
國立中央圖書館藏

史通卷第一

內篇

自古帝王編述文籍外言之備矣古往今來質文遞變諸史之作不恒厥體搉而為論其流有六一曰尚書家二曰春秋家三曰左傳家四曰國語家五曰史記家六曰漢書家今略陳其義列之於後

尚書家者其先出於太古易曰河出圖洛出書聖人則之故知書之所起遠矣至孔子觀書於周室得虞夏商周四代之典乃刪其善者定為尚書百篇孔安國曰以其上古之書謂之尚書尚書璇璣鈐曰尚者

(二)史通二十卷　唐劉知幾撰　明嘉靖間陸深刊本

中央研究院藏

史通卷之一

唐鳳閣舍人彭城劉子玄撰

內篇

六家第一

自古帝王編述文籍外篇言之備矣古往今來質文遞變諸史之作不恒厥體榷而為論其流有六一曰尚書家二曰春秋家三曰左傳家四曰國語家五曰史記家六曰漢書家今略陳其義列之於後

尚書家者其先出於太古易曰河出圖洛出書聖

徐普寫　秦宸刻

㈢史通二十卷　唐劉知幾撰　明萬曆五年張之象繙宋刻本　中央研究院藏

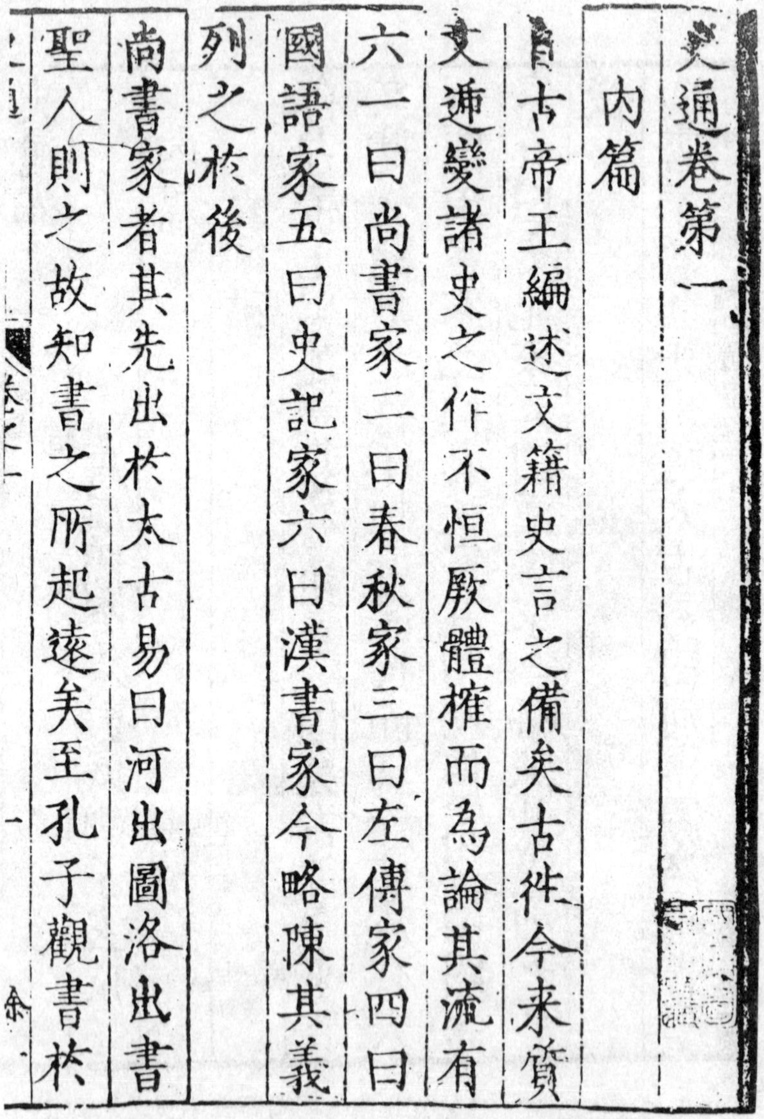

史通卷第一

内篇

自古帝王編述文籍史言之備矣古往今來質
文遞變諸史之作不恒厥體榷而為論其流有
六一曰尚書家二曰春秋家三曰左傳家四曰
國語家五曰史記家六曰漢書家今略陳其義
列之於後

尚書家者其先出於太古易曰河出圖洛出書
聖人則之故知書之所起遠矣至孔子觀書於

史通　卷之一　一　余

㈣史通二十卷　唐劉知幾撰　明萬曆三十年張鼎思校刊本　國立中央圖書館藏

史通卷第一

唐劉子玄知幾撰
明李本寧維禎評
附郭孔延延年評釋

內篇

自古帝王、編述文籍、史言之備矣、古往今來、質文遞變、諸史之作、不恒厥體、榷而爲論、其流有六、一曰尚書家、二曰春秋家、三曰左傳家、四曰國語家、五曰史記家、六曰漢書家、今略陳其義、列之於後、

(五)史通二十卷 唐劉知幾撰 明李維禎評・郭孔延附評並釋
明天啓崇禎間刊本 國立中央圖書館藏

史通卷之一

唐鳳閣舍人彭城劉子玄撰

內篇

六家第一

自古帝王編述文籍外篇言之備矣古往今來質文遞變諸史之作不恒厥體榷而為論其流有六一曰尚書家二曰春秋家三曰左傳家四曰國語家五曰史記家六曰漢書家今略陳其義列之於後

尚書家者其先出於太古易曰河出圖洛出書聖

㈥史通二十卷　唐劉知幾撰　明刊本　中央研究院藏

第十雜述第卅四　辨識第卅五　體統第卅六
紕繆第卅七　施張第卅八

右定凡卅六篇并前序及志第七篇共
三十八篇

史通卷第一　内篇

自古帝王編述文籍外篇言之備矣古往今来質文遞變諸史之作不亘厥體榷而為論其流有六一曰尚書家二曰春秋家三曰左傳家四曰國語家五曰史記家六曰漢書家今略陳其義列之於後

㈦史通二十卷　唐劉知幾撰　清烏絲闌舊鈔本
國立中央圖書館藏

史通卷一　　唐　劉知幾　撰

內篇

六家第一

自古帝王編述文籍外篇言之備矣古往今來質文遞變諸史之作不恒厥體榷而為論其流有六一曰尚書家二曰春秋家三曰左傳家四曰國語家五曰史記家六曰漢書家今略陳其義列之於後

(八)史通二十卷　唐劉知幾撰　文淵閣四庫全書本
國立故宮博物院藏

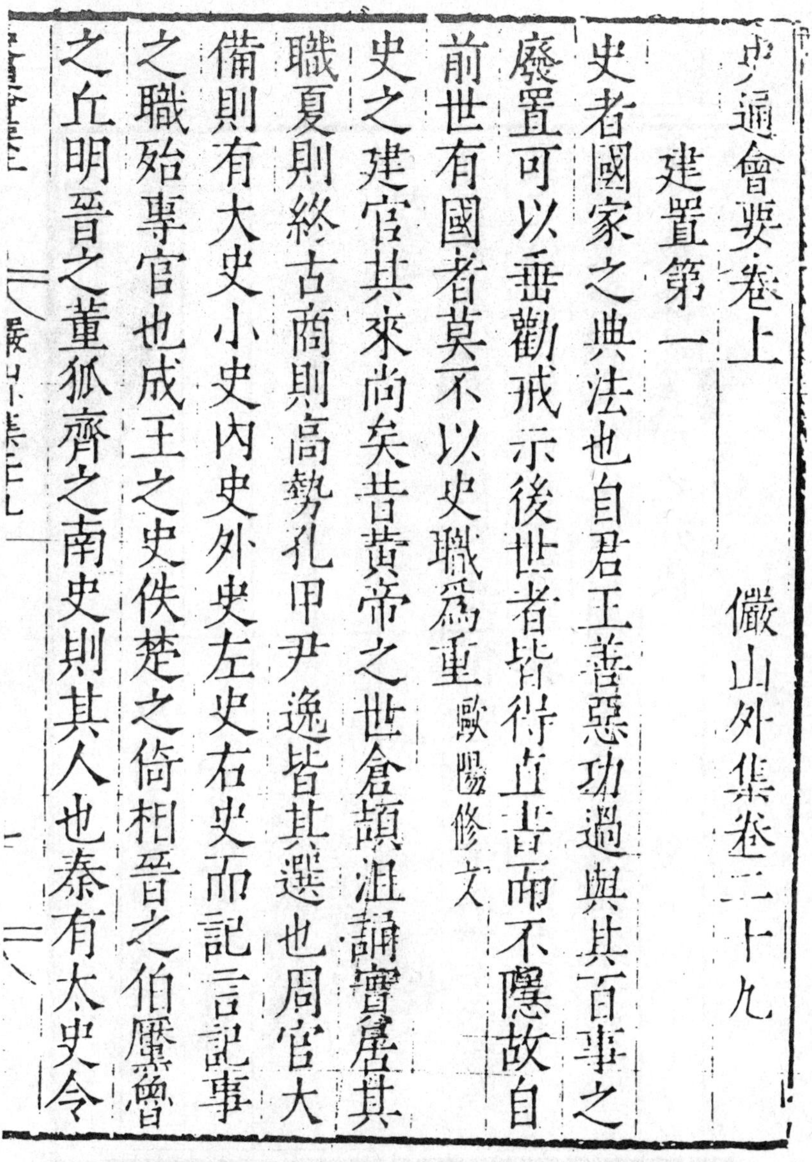
史通會要卷上　　儼山外集卷二十九

建置第一

史者國家之典法也自君王善惡功過與其百事之廢置可以垂勸戒示後世者皆得直書而不隱故自前世有國者莫不以史職為重 歐陽修文

史之建官其來尚矣昔黃帝之世倉頡沮誦實居其職夏則終古商則高勢孔甲尹逸皆其選也周官大備則有大史小史內史外史左史右史而記言記事之職殆專官也成王之史佚楚之倚相晉之伯黶魯之丘明晉之董狐齊之南史則其人也秦有太史令

㈨史通會要三卷　明陸深撰　明嘉靖二十四年陸氏家刊本
清錢德震手書題記　國立中央圖書館藏

史通評釋卷第一

唐劉子玄知幾撰著
明郭孔延延年評釋
弟孔太太初校誤
孔陵陵爲錄刻

內篇

自古帝王編述文籍史言之備矣古往今來質文遞變諸史之作不恒厥體榷而爲論其流有六一曰尚書家二曰春秋家三曰左傳家四曰國語家五曰史記家六曰漢書家今略陳其義列之於後

㈩史通評釋二十卷　明李維禎評・郭孔延附評釋
明萬曆間刊本　中央研究院藏

史通訓故卷之一

明河南王惟儉訓

內篇

六家第一

自古帝王編述文籍外篇言之備矣古往今來質文遞變諸史之作不恒厥體榷而爲論其流有六一曰尚書家二曰春秋家三曰左傳家四曰國語家五曰史記家六曰漢書家今畧陳其義列之於後

尚書家

尚書家者其先出於太古易曰河出圖洛出書聖人

(十一)史通訓故二十卷　明王惟儉撰　明刊本　中央研究院藏

欽定四庫全書

史通通釋卷一　　無錫浦起龍撰

内篇

六家第一。合起結共八章

自古帝王編述文籍外篇謂古今正史篇此二字一作史言之備矣古往今來質文遞變諸史之作不恒厥體釋二句首提史字揭出全書眼目榷而爲論其流有六一曰尚書家二曰春秋家三曰左傳家四曰國語家五曰史記家六曰漢書家今略陳

史通削繁

內篇

六家

> 王肅之說。先見王充論衡。但上所言作上所爲。

自古帝王編述文籍。外篇言之備矣。古往今來。質文遞變。諸史之作。不恆厥體。推而爲論。其流有六。一曰、尚書家。二曰、春秋家。三曰、左傳家。四曰、國語家。五曰、史記家。六曰、漢書家。今略陳其義。列之於後。尚書家者。其先出於太古。至孔子觀書於周室。得虞夏商周四代之典。乃刪其善者。定爲尚書百篇。孔安國曰。以其上古之書。謂之尚書。尚書璇璣鈐曰。尚者、上也。上天垂文象。布節度。如天行也。王肅曰。上所言。下爲史所書。故曰尚書也。推此三說。其義不同。蓋書之所主。本於號令。所以宣王道之正義。發話言於臣下。故其所載。皆典謨訓誥誓命之文。又有周書者。與尚書相類。卽孔氏刊約百篇之外。凡爲七十一章。上自文武。下終靈景。甚有明允篤誠。典雅高義。時亦有淺末恆說。滓穢相參。殆似後之好事者所增益也。自宗

㈢史通削繁注　清紀昀削繁・浦起龍注釋　民國五十二年廣文書局據道光十三年刊重排鉛印本影印

書影十三頁爲臺灣所藏《史通》板本及古注本，
中央研究院史語所藏板承蒙　林教授慶彰提供，
謹此致謝。

序言

劉知幾的《史通》問世於八世紀初，爲全世界第一部史學理論專著，其銳利的眼光，懷疑的精神，分析的角度，皆非一般人所能及，誠爲一部值得研究的專書。書中討論的對象主要是史書，劉知幾透過對歷代史書的批評，提供一套撰述歷史的原則和方法，這些方法和原則，相當完整，已具理論的系統和脈絡。過去研究《史通》的史學方法、史學理論，雖不乏其人，但在歷史敍述部分卻發揮不多。由於歷史敍述和文學創作所依憑的媒藉同樣是文字，因此傳統史家從事歷史敍述一如文學家從事文學創作，不曾忽視過體裁和語言等問題。體裁和語言的問題是研究文學批評的人所關心的重點，卻是研究史學批評的人所忽略的地方，爲彌補此空闕，遂引起筆者研究《史通》的動機。

傳統史家從事歷史敍述時，多會考慮敍述的對象、題材，敍述的體例、文體；前者屬於敍述的內容，後者屬於敍述的形式，因此本書架構的設計，便從內容和形式兩個層次來整理《史通》的歷史敍述理論。第一章緒論說明歷史敍述一詞的用法，及本論文使用的依據，並追溯《史通》以前歷史敍述理論的發展。第二章劉知幾生平概述及史通的撰述背景，簡述劉氏生平後，從其入史館前後的轉變，分析劉氏撰述《史通》的遠近因，最後以時代思潮回應《史通》的理論核心。第三章史通論歷史敍述的內容，主要探討歷史敍述與歷史眞僞、鑑誡、褒貶等問題。第四章史通論歷史敍述的形式，則探討歷史敍述的體例、語言、修辭等問題。第五章史通論歷史敍述的實踐，就《史通》探討劉氏所提出「史才三長」說的實際內容，歸納其分析歷史敍述所以虛構的各種因素。第六章結論，總結《史通》歷史敍述理論的要點，並指出其成就及影響。

本論文參考文獻，以《史通》及劉知幾的佚詩、佚文為主，兼及近人研究的箋、注、專書、單篇論文，以及中外史學方法、史學理論、文學理論、文學批評等論著。筆者從決定題目、收集資料到初稿撰成，共花二年時間。撰寫過程得到許多師長關心，首先感謝黃師景進殷切敦促和針砭，同時感謝喬師衍琯、李師威熊、王師更生、張教授錦郎、王教授國良、劉教授漢初、蔡教授宗陽，不時提供意見或資料。何教授廣棪、古先生繼堂、胡女士時珍、鄺教授士元熱心提供國內難得寓目的資料，使筆者眼界大開。初稿完成後，又蒙杜師維運、賴師明德的愛護和肯定，並賜知許多充實內容的意見，給筆者莫大的鼓勵和信心，在此一併致上衷心的謝意。

由於歷史敍述牽涉歷史思想、歷史哲學、歷史批評等範圍，筆者在收集、理解、組織資料各方面每感困難，研究期間深感「讀書不精，學藝不成」之苦，這裏所呈現的，只是研究的開始，疵瑕自知必然不少，而匡謬補遺，亟盼博雅君子有以教之。

民國八十二年六月彭雅玲謹識

史通的歷史敍述理論 目次

凡例

一　行文中，凡遇書名前後加《》，篇名前後加〈〉。

二　引用資料的出版年、地、版次，詳見參考書目，註釋僅記頁次，古籍另加卷次。

三　參考書目先古籍，後今著。中日文部份按出版時間排列，英文依作者排列。西文部份略分為歷史、文學兩類。中文部份因資料較多，為便檢索，又概分專著、學位論文、論文集、期刊四類。

四　參考書目中文部份，凡出版地在台北，皆略去不註，出版年凡臺灣以外地區，均採西元紀年。

第一章 緒 論

第一節 研究的動機與方法

中國的敍事文學不如西方發達，我國文學史上沒有留下篇幅巨大、敍事曲折的史詩，①但是歷代不絕如縷的歷史著作，卻創造出中國豐富的傳記體散文。②中國自古以來即重視歷史，不僅認爲史學價值高過文學，且在文學批評家的觀念中，也不時以「史」的價值作爲批評的標準，如詩有詩史之譽，詞有詞史之稱；甚至文學創作亦不時借鏡於史筆，特別是小說寫人敍事的手法最爲明顯；③因此，敍事的能力多轉移到歷史著作之中，換句話說，便間接造成了中國敍事文學較不發達。

由於歷史傳記蘊藏著豐富的故事題材及敍事技巧，常爲小說取法之資，因此欲了解中國古典小說的敍事型態，有必要先了解史傳敍事的傳統。過去傳統社會視小說爲小道末流，文壇上甚少有人潛心研究其作法，更無這方面的理論著作，但是史學界早在唐代的劉知幾，其所作的《史通》提供許多修史的方法中，有專章討論「敍事」，這是值得注意的。本文遂以《史通的歷史敍述理論》爲題，探討知幾所提出的修史理論。

壹、何謂歷史敍述

敍述（narrative）是「一件或更多件眞實或虛構的事件，以過程或結果或對象或動作或構成形式，多少在公開的情形下，由一位或者二位以上的傳播者，傳達給一位或者更多位的被傳播者」④，換言之，敍述乃假借語言重現動作的時序變化或因果關係的活動。舉凡文學、歷史、哲學、宗教、神話，甚至電影、日常對話等無不需要敍述這個活動，因爲這些都賴語言傳播，如果舞臺表演等，只用動作，不用語言，則不屬於敍述的範疇。今日吾人使用「歷史敍述」（historical narrative）一詞，簡單說來，即用以指稱「對歷史事實的描述」。伯倫漢（E. Bernheim）《史學方法論》第六章「敍述」，便談到用語言文字以敍述歷史事實的問題，他說就表現的形式而言，屬於美學的範圍，此與其他用散文體以敍述思想觀念之事同；就史學而言，敍述之事不當以審美爲目的。⑤

過去使用「歷史敍述」一詞常有兩種情況：㈠運用文字敍述過去發生的事情，此指將歷史事實形諸文字的活動；㈡對歷史事實的文字敍述，則指「歷史記載」或「歷史著作」。⑥

「歷史敍述」即國人所謂「修史」一詞，本文採用「歷史敍述」一詞來代替，主要原因是「歷史敍述」比「修史」更生動貼切傳達撰述歷史的概念。《史通》是一部談論如何撰修史書的理論著作，過去研究《史通》的人常用「史傳文學理論」或「歷史文學理論」指其「歷史敍述理論」，筆者認爲不妥，原因是「史傳文學」「傳記文學」「歷史文學」等詞，一眼望去既文又史，令人難以掌握，而使用這類名詞者，使用時如不先爲這類名詞涵蓋文史的概念作番解釋，則容易引起誤解。

據《中國大百科全書》中國文學卷釋「傳記文學」說：「記載人物經歷的作品稱傳記，其中文學性較強的作品即是傳記文學」，這類作品包括兩類，「一類是歷史傳記文學即史傳文學，一類是雜體傳記文學即雜傳文學」，前者指的是正史中的「本紀」「世家」「列傳」，後者包括甚廣，大概是史傳以外一切具有傳記性質的作品，如碑誄、傳狀、自傳等。（頁一三一二）

據白壽彝釋「歷史文學」說：「歷史文學至少可有兩種含義。一種含義，是指用歷史題材寫成的文學作品，如歷史小說與歷史劇，另一種含義，是指歷史著作中對歷史的文字表述。」⑦

綜上可知，「傳記文學」「歷史文學」二詞實不如「歷史敍述」一詞，能明確指出歷史著作中對歷史的文字表述。至於「史傳文學」一詞專指以人物爲主的史傳，《史通》談論修史的理論，雖以紀傳體正史爲重點，但不止於討論傳人，因此用「史傳文學理論」亦不能涵蓋《史通》討論歷史敍述的全部。

又中國傳統的史傳，如《史記》等優秀的傳記，文學家並常以文學作品視之，但是史學家看待傳記，認爲「傳記基本上是歷史的，披上文學的外衣，僅爲一種粉飾」，文學傳記和歷史傳記是不同的，文學貴新創，文學家憑豐富的想像，優美的文采，可以自由地將眞實人物變化，而不失其職守，史學家所寫的傳記則必須遵守寫實的原則反映眞實的人物，而不是虛幻的人物。⑧

由此看來，《史通》既是一本史學理論專著，自當用沒有爭議性的「歷史敍述」一詞最爲恰當，而且敍述同樣也是文學表現的手法之一，在討論歷史敍述文字表達的問題時，不必耽心文、史概念的混淆，故本文以「歷史敍述」一詞代替「修史」，行文中「歷史敍述」或指史家敍述歷史事實的過程，或歷史著作的文字表述，視行文之需要而定。

貳、史通的研究概況

考《史通》問世以後即受到學者強烈的抨擊，如唐之柳璨、宋之孫何、宋祁等批評《史通》「工訶古人」「妄誣聖哲」[9]，學者的低評和忽視，導致了《史通》流傳不廣，大儒朱熹終其一生，居然未見《史通》，明《永樂大典》中，《史通》亦不見收，凌稚隆《史記評林》還誤以知幾是宋人。[10]清以前學者，多着眼《史通》議論譏諷的文字，頗多論難。到了清紀昀在《四庫全書》特設「史評類」，置《史通》於史評之首，雖肯定了知幾史學批評的價值和地位，卻又作《史通削繁》刪去其所認爲知幾書中有問題的篇章。[11]明、清之際，《史通》已有刻本和注本，[12]但知幾的學術仍未受到普遍的重視。

民國以來，知幾的學術地位漸漸提高，《史通》的研究也漸受重視。以下略述研究劉知幾及其《史通》的概況：

年譜方面，早期有周品瑛〈劉知幾年譜〉、傅振倫《唐劉子玄先生知幾年譜》。傅氏《年譜》考劉氏世系、知幾之家世、學行、著作等奠定了《史通》研究的基礎。

補闕、辨僞方面，早期有洪業〈史通點煩篇臆補〉、〈韋弦、愼所好二賦非劉知幾所作辨〉，汪之昌擬補《史通》〈體統〉〈紕繆〉〈弛張〉三篇。

版本、流傳方面，早期有傅振倫〈史通版本源流考〉，最近有莊萬壽〈史通著錄版本源流考〉及張新民〈史通版本源流考〉。

注評方面，早期有陳漢章《史通補釋》、楊明照《史通通釋補》、彭啸咸《史通增釋》，⑬近三十年來有劉虎如選註《史通》十六篇、呂思勉《史通評》、程千帆《史通箋記》、張舜徽《史學三書評議》（評《史通》《通志》《文史通義》三部書）、張振珮《史通箋注》、趙呂甫《史通新校注》。張氏《箋注》以明萬曆五年（西元一五七七年）張之象刻本爲主，參考各本之說，校訂文字，考釋最詳，每篇正文之前均加解題，撮述篇章之旨，並闡明主要論點在中國史學上的影響，於正文則詳注出處，考訂人名、地名、典故、史事，書末附錄年譜及《史通》相關之基本材料，詳人所略，頗便於研究之需，誠整理《史通》之一大功臣。⑭趙氏《新校注》據明、清以來諸刻本、評注本，細加校勘注解，行文措辭力求通俗，其中注解約六千三百餘條，校勘記約二千二百餘事，正文則分段說明旨趣，可謂詳瞻精覈，然仍不如張氏《箋注》。

史學成就、史學要義方面，早期研究者，多肯定知幾在史學方法上的成就，⑮甚少注意知幾的史學思想。傅振倫、金毓黻、侯外廬、白壽彝、楊翼讓等學者，研究知幾的思想，都已指出知幾「實錄直書」「徵實去僞」的要旨。⑯但是他們所論，尚未能確切掌握《史通》各篇議論的隱蔽關聯，尤其是史料、史考、史纂、史文與史評諸說間的內在邏輯。更無人指出，知幾史學理論的核心，端在「實錄直書」四字。

近年學者進一步研究，從各層面析定「實錄直書」爲《史通》全書的核心思想。如許冠三從史料學、撰述論、史評說三方面歸納出《史通》「實錄史學」的系統。⑰雷家驥從唐初官修體制演變，說明「以史制君」的作用漸次淪喪下——史官不能客觀公正執筆，史書僞謬叢生——出現了劉允濟、朱敬則、劉知幾、吳兢等史家，力挽史學既倒的狂瀾，並就他們具體的言論，肯定知幾在史學批評、理論、方法上的貢獻和地位。頗能說明知幾的學術系統的開展，更充分掌握了知幾「實錄史學」的建立背景。⑱

上述這方面的研究者頗多，僅舉出成果豐碩者爲代表，其餘詳見參考書目。另外值得注意，逯耀東有一系列的研究，從魏晉以至唐初史部脫離經部獨立的過程，探討史學評論的萌芽，⑲以及張榮芳《唐代的史館與史官》，對於《史通》撰述的背景問題，提供許多可資參考的資料，逯氏並曾撰〈史通疑古、惑經篇形成的背景〉一文，深入探討《史通》撰述的經過。

比較研究方面，稍早有張其昀〈劉知幾與章實齋之史學〉，最近有蘇淵雷〈劉知幾、鄭樵、章學誠的史學成就及其異同〉、符定波〈史通與論衡比較研究〉、吳天任〈劉知幾與鄭樵史學之探討〉、蔣祖怡〈劉知幾史通與劉勰文心雕龍〉、陳耀南〈史通與文心之文論比較〉，因限於篇幅只能作重點式的比較，到目前爲止尚未有研究的專書。

學位論文方面，國內最近有王明妮《史通修史觀述評》，及林時民《劉知幾及其史通》。大陸近十年來則有張三夕《批判史學的批判——劉知幾及其史通研究》，趙俊《史通理論體系研究》二本博士論文。

以上都是從史學的角度研究《史通》，包括國內、大陸，及香港三者的研究。從史學的角度研究《史通》，日本方面的成就，値得注意：早期貝塚茂樹先生研究中國史學，即能掌握中國史學理論的特質，其〈中國史學理論の特質——劉知幾の史通在中心として〉一文，最早指出《史通》就是一本修撰正史的理論。稻葉一郎〈史通淺說——唐代史官の史學理論—〉一文，有關修撰正史的理論部分，專立「歷史敍述」一節，分作「歷史敍述の對象と目的」「敍述方法としての文體論」二部分來討論。大濱皓《中國・歷史・運命——史記と史通——》，除了掌握《史通》中「實錄」「褒貶」的要旨外，另立專章「歷史記述の方法」，討論《史通》有關「敍事」「省字省句」「用晦」的主張，並分析了知幾論史書煩省的原因。鈴木啓造〈史通の勸善懲惡論〉一文繼大濱皓之後，分析知幾褒貶善惡觀的形成，並申述歷史事實判斷與道德判斷對立及統一的問題，文中也指出《史通》一書的性質，是一部修史理論專著。

另外還有一系列的研究値得注意，是從文學及文學批評的立場來分析《史通》有關文論的意見，這類型的研究，大陸方面頗爲豐富，香港方面亦見散篇，反觀當地卻甚少注意，日本方面也尚未見相關論文發表。早期有宮廷璋的〈劉知幾史通之文學概論〉，羅根澤、郭紹虞並分別於其《中國文學批評史》立專節討論劉知幾的文論。自此以後這類研究成果中斷，直至最近大陸有不少這類型的單篇論文，如張錫厚〈劉知幾的文學批評〉、吳文治〈劉知幾史通的史傳文學理論〉、邱世友〈劉知幾史通的文學思想〉、牟世金〈劉知幾對古代文論的新貢獻〉、符定波〈劉知幾論史傳文學〉、李成良、邱遠應〈史通的歷史文學理論〉、宗廷虎〈劉知幾的修辭觀——我國第一部史論修辭著作史通評說〉、李少雍〈劉知幾與古文運動〉。並有與《文心雕龍》比較的論文，如蔣祖怡〈劉知幾史通與劉勰文心雕龍〉，及陳耀南〈史通與文心之文論比較〉。

由上簡述《史通》研究的概況，除約略顯示既有的成果，以及新近的研究動向外，實有必要總會零零散散的論文，重新整理《史通》有關撰述史書的意見，以期《史通》的歷史敍述理論，能夠較系統的呈現出來。

叁、本文架構及內容

《史通》是一本談論如何修史的理論著作，尤其是撰修正史的理論。我們若從《史通》篇目安排上看，便可發現書中大半篇幅是在討論史書的體裁、體例、語言等問題。如一開始〈六家〉〈二體〉總論史體源流，歸納出兩種體裁後，從〈本紀〉〈世家〉〈列傳〉〈表曆〉〈書志〉〈論贊〉以至〈序例〉等都是在討論正史，特別是紀傳體史書的體例。〈序例〉〈題目〉〈斷限〉〈編次〉〈稱謂〉〈

採撰〉〈載文〉〈補注〉〈因習〉〈邑里〉諸篇，無非是討論史書編纂時的種種問題。〈言語〉〈浮詞〉〈敍事〉〈人物〉〈煩省〉諸篇，則集中探討史書的語言問題。

上述這些論題，以文學批評的角度來看，正好是六朝文學理論中的文體論和文術論，也是《文心雕龍》文學理論的焦點。因此，文學批評研究者，頗多關心《史通》裏撰述方面的意見，並擬與文學理論專著《文心雕龍》比較異同。文學批評研究者關心《史通》討論史書語言、文字、修辭的問題，有些地方雖然牽附史論爲文論，然有助於我們將《史通》歷史敍述理論的體系整理得較爲完備，彌補過去研究者從史學立場整理之不足，以下略述本文架構設計及章節安排：

第一章「緒論」，繼本節「研究的動機與方法」之後，將《史通》之前歷史敍述理論的發展作番概述，除證《史通》是我國最早的歷史敍述理論專著外，也在論文寫作上提供一個必須的歷史背景做基礎

第二章「劉知幾生平概述及史通的撰述背景」，重點在第二節「史通的撰述歷程」，探討知幾撰寫《史通》的動機，本節分「入史館前」「入史館後」二部分，正好突顯知幾撰寫《史通》的關鍵是在史館，也分別了知幾撰寫《史通》的遠近因。第一節「生平概述」，簡述知幾重要生平，以提供第二節寫作之需。第三節「唐初崇實的思想傾向」，說明知幾的崇實思想，除了是個人的性格、學養、遭遇的表現外，也反映了當時時代思想的傾向。

第三章到第五章爲本論，分述《史通》的歷史敍述理論。第三章「史通論歷史敍述的內容」分三

節，第一節「求實錄」是知幾論歷史敍述內容的理論核心，文中追溯知幾實錄思想的淵源，說明其有所繼承與發揚，並說明知幾所倡的實錄在歷史敍述中的意義，及其對歷史敍述內容的要求。第二節「寓褒貶」從第一節引申而來，知幾認爲實錄的內容，要能寓褒貶，但歷來學者對褒貶與事實是否有衝突，頗有爭議，本文進一步討論知幾論褒貶的標準乃出於政治倫理教化的觀點，並得出其道德的標準乃與判斷事實眞僞的標準結合爲一，又內容的呈現與取材有關，知幾要求歷史敍述的內容寓褒貶，便自然要求史家，積極選取具有褒貶意義的題材來敍述。

《史通》分析歷史敍述的形式，主要從「體裁」和「語言」這兩個問題來討論，因此第四章分成二節。第一節「論史體」先舉出知幾重視辨體的事實，繼而分析其辨正史體的觀念，是受六朝辨析文體觀念的影響，如其將史體溯源、定名、批評得失、規範成製的步驟，即採自《文心雕龍》「原始以表末」「釋名以章義」「選文以定篇」「敷理以舉統」的方式，然後依其步驟，論述歷史敍述的體裁、體例。第二節「論史文」分成「文質論」「修辭論」二部分，首先釐清《史通》中容易混淆的關鍵字，得出「文」「質」二字的涵義，一指語言的雅俗，一指文字的典雅質樸，再分析知幾對敍述語言雅俗、敍述文字雅樸的主張。語言方面，依從「言必近眞」的原則，強調敍述歷史人物的語言，要掌握適俗隨時之義；文字方面，主張「文質並重」，由此導出「修辭論」。修辭方面，透過《史通》裏面的實例，根據現代修辭學，歸納其原則，分析其條例。

第五章「史通論歷史敍述的實踐」，第一節探討《唐會要》載知幾所提出的史才三長的關係及內涵，本文主要從《史通》找出實例說明知幾的看法，並指出胡應麟、章學誠、梁啓超等人批評知幾的史才三長說，有所誤解。第二節透過知幾對「僞錄」的批評，歸納歷史敍述虛構的原因有四種。

第六章「結論」，總結前三章的研究，概述《史通》的歷史敍述理論，然後評其價值，論其得失。最後說明研究過程中尚未解決的問題，有待後續研究。

第二節　史通以前歷史敍述理論的發展

《史通》是我國第一部史學批評專著，也是我國第一部史學理論專著，《四庫全書總目・史評類小序》云：

> 《春秋》筆削，議而不辨；其後三傳異詞。《史記》亦自爲序贊，以著本旨，而先黃老，後六經，退處士，進姦雄；班固復異議焉。此史論所以繁也。其中考辨史體，如劉知幾、倪思諸書，非博覽精思，不能成帙，故作者差稀。

這段話提示了兩個重點：㈠史論源於《左傳》「君子曰」，最初只是對歷史人物或事件的批評，後來發展成史書的論贊，成爲史書固定的形式。㈡「非博覽精思，不能成帙」說明史學理論專著成書不易之事實，也反映了《史通》以前討論歷史敍述的意見相當零散，尚未形成理論體系。

《史通》以前對歷史敍述的批評，多圍繞在敍述文字的文質、煩簡，以及編年、紀傳二體裁優劣等問題，如《後漢書・班彪傳》錄班彪評《史記》說：

採經摭傳，分散百家之事，甚多疏略，不如其本，務欲以多聞廣載爲功，論議淺而不篤。……然善述敍事理，辯而不華，質而不俚，文質相稱，蓋良史之才也。若遷之著作，採獲古今，貫穿經傳，至廣博也。一人之精，文重思煩，故其書刊落不盡，尙有盈辭，多不齊一。若序司馬相如，舉郡縣，著其字，至蕭曹陳平之屬，及董仲舒並時之人，不記其字，或縣而不郡者，蓋不暇也。

從《漢書・司馬遷傳贊》所說：「自劉向揚雄，博極群書，皆稱遷有良史之材，服其善序事理，辨而不華，質而不俚，其文直，其事核，不虛美、不隱惡，故謂之實錄。」我們可知班彪對於《史記》的贊美乃本之於劉向和揚雄。而班固對《史記》的指謫，傳贊中說：

至於采經摭傳，分散數家之事，甚多疏略，或有抵牾。亦其涉獵者廣博，貫穿經傳，馳騁古今，上下數千載間，斯亦勤矣。

從班氏父子對《史記》的批評，可知班氏父子認爲歷史敍述應從實而書，故推許司馬遷「不虛美、不隱惡」的敍述態度；對於歷史敍述的文字則主張「文質並重」，因此贊美《史記》「辨而不華，質而不俚」；至於敍述體例方面，一致指責「分散數家之事，甚多疏略」，這是從《漢書》斷代的立場來批評通代史體裁。

自漢獻帝因《漢書》篇幅過多，命荀悅刪爲《漢紀》，把一部百卷的書改寫爲三十卷的書之後，便掀起了史文煩簡之爭，如晉干寶贊美《左傳》「能以三十卷之約，括囊二百四十年之事」，是「立言之高標，著作之良模」，又張輔的〈班馬優劣論〉說：「遷敘三千年事，五十萬言，固敘二百四十年事，八十萬言。是班不如馬也。」⑳

晉代猶有周漢尚簡之風，所以干寶、張輔崇尚辭約文省的歷史敘述，到了南朝文風尚綺，宋范曄在《後漢書·班固傳贊》便極力贊美《漢書》的文字詳贍，他說：

> 司馬遷、班固父子，其言史官載籍之作，大義粲然著矣。議者咸稱二子有良史之才。遷文直而事覈，固文贍而事詳。若固之序事，不激詭，不抑抗，贍而不穢，詳而有體，使讀之者亹亹而不厭，信哉其能成名也！（卷四〇下，頁一三八六）

並曾稱許《漢書》斷代成書的體裁其造《後漢書》乃欲「比方班氏所作」，「雖事不必多，且使見文得盡；又欲因事就卷內發論，以正一代得失」㉑。

由上可知，史家對歷史敘述文字的批評，每受時代文風的影響，文風尚質則主簡，文風尚綺則主詳。到了唐代由於對六朝文學的反動，故又轉而崇尚簡質，如：

蕭穎士〈為陳正卿進續尚書表〉云：

> 臣聞古者右史記事，左史記言，舉其大略，前書之議備矣。孔聖沒而微言絕，暴秦興而挾書罪，雖戰國遺策舊章，駮亂於從橫；漢臣著紀新體，互紛於表志。其道末者其文雜，其才淺者其意煩，豈聖人存易簡之旨，盡芟夷之義也。㉒

張守節〈上史記正義序〉稱贊《史記》云：

史記者，漢太史公司馬遷作。……比之春秋，言辭古質，方之兩漢，文省理幽。㉓

司馬貞〈補史記序〉極推《史記》首創之難云：

事廣而文局，詞質而理暢，斯亦盡美矣！㉔

裴光庭〈請修續春秋奏〉菲薄《晉書》云：

文詞繁冗，穿鑿多門。㉕

最後，要提的是與《史通》關係最密切的《文心雕龍》。《文心雕龍》，梁劉勰作有〈史傳〉篇討論文章體式和作法，總論先秦至六朝間史學的起源、發展，批評歷史敍述的體裁，提供歷史敍述的方法，分析歷史敍述虛構的原因，全篇文長僅一千三百字，是《史通》之前討論歷史敍述最具條理的文字。㉖

首先談劉勰論編年、紀傳二體，體裁上客觀限制不能兩全的事實：

……然紀傳爲式，編年綴事，文非泛論，按實而書，歲遠則同異難密，事積則起訖易疎，斯固總會之爲難也。或有同歸一事，而數人分功，兩記則失於複重，偏舉則病於不周，此又銓配之未易也。

編年體有總會之難，紀傳體有銓配之不易，劉勰道出二體的優劣，但從他宗《史記》難《左傳》此一觀點看來，可知他傾向於使用紀傳體，他說：「觀夫左氏綴事，附經間出，於文爲約，而氏族難明。

及史遷各傳，人始區詳而易覽，述者宗焉。」劉勰以編年體結構單純，敘事文筆簡約，只能略記事形、

表徵王事而已，實不如會通總合、彌綸一代的紀傳體。

其次劉勰提供了歷史敘述四大原則：

至於尋繁領雜之術，務信棄奇之要，明白頭訖之序，品酌事例之條，曉其大綱，則衆理可貫，然史之爲任，乃彌綸一代，負海內之責，而贏是非之尤；秉筆荷擔，莫此之勞，遷、固通矣，而歷詆後世。若任情失正，文其殆哉！

「尋繁領雜之術」是關於史料的整理，「務信棄奇之要」是關於史料的取捨，「明白頭訖之序」是關於行文敘事方面，「品酌事例之條」是關於謀篇布局方面。

另外就歷史敘述的實踐而言，劉勰還認爲歷史敘述完全眞實是不可能的。他說：

若夫追述遠代，代遠多僞，公羊高云傳聞異辭；荀況稱錄遠略近；蓋文疑則闕，貴信史也。然俗皆愛奇，莫顧實理。傳聞而欲偉其事，錄遠而欲詳其跡，於是棄同即異，穿鑿傍說，舊史所無，我書則博，此訛濫之本源，而述遠之巨蠹也。至於記編同時，時同多詭，雖定哀微辭，而世情利害。勳榮之家，雖庸夫而盡飾；迍敗之士，雖令德而嗤理，吹霜煦露，寒暑筆端，此又同時之枉論，可爲歎息者也！故述遠則誣矯如彼，記近則回邪如此，析理居正，唯素心乎！若乃尊賢隱諱，固尼父之聖旨，蓋纖瑕不能玷瑾瑜也，姦慝懲戒，實良史之直筆，農夫見莠，其必鋤也；若斯之科，亦萬代一準焉。

按劉勰的意思，歷史敍述不能眞實，有三種情形：

㈠史料的問題：史料本身有些是虛構的——「追求遠代，代遠多僞」。

㈡史家的問題：缺少判斷力——「穿鑿傍說」（邪說），喜歡誇張——「愛奇」（也就是文學化），劉勰反對《史記》「愛奇反經」，「條例踳落」，卻盛讚《漢書》「十志該富，讚序弘麗，儒雅彬彬，信有遺味」，可見他贊成歷史敍述要有文學味，但不能過分，過分就離經叛道了。

㈢壓力的問題：特別是史家寫當代歷史，忌諱很多，因此敍述很難眞實——「記編同時，時同多詭」。而「世情利害」導致「勳榮之家，雖庸夫而盡飾；迍敗之士，雖令德而嗤理」這可說是政治壓力。此外還有「尊賢隱諱」的道德壓力，此在孔子已是如此。㉗

上面所論，只是簡述《史通》以前對歷史敍述的批評，略知劉勰之前零散式或主觀式地批評，到了劉勰有了改觀。《文心》每篇均有史的敍述與批評，劉勰所提出意見，已頗有系統，到了知幾又繼承《文心雕龍．史傳》的成果，進一步發揮成《史通》，許多學者多已肯定，㉘唯二人思想、個性、背景不同，所着眼的意見，常有出入。

【附註】

① 參見黃景進〈中國敍事詩的發展〉一文，論「中國是否有敍事詩」及「中國敍事詩較不發達的原因」，頁一——八。

② 據陳必祥《古代散文文體概論》所說，傳記散文是一種記載人物生平事迹的散文文體，源於《左傳》《戰國策》《國

語》等歷史著作。傳記作爲一種獨立的散文體裁，從兩漢開始，如《史記》優美生動的文字，歷來文評家多視《史記》中十二篇本紀、三十篇世家、六十九篇（除〈太史公自序〉一篇）爲傳記文的楷模，此後文才、史士競相效仿，遂發展成一種文體，如「自傳」「別傳」「外傳」「小傳」「行狀」「墓誌銘」「墓表」「神道碑」等各類雜體傳記文屬之。頁五六——六八。另可參見呂薇芬、徐公持合著〈中國古代傳記文學淺論〉一文。

③ 參見董乃斌〈論中國敍事文學的演變軌迹〉，朱水涌〈歷史傳奇：史傳傳統與史詩模式〉，王夢鷗〈唐人小說概述〉等三文。

④ 參見捷諾的普林斯《敍述學辭典》「敍述」條，頁五八—六〇。

Gerald Prince, "Dictionary of Narratology", Lincoln & London: University of Nebraska Press, 1987. 1st edition.

"The recounting (as product and process, object and act, structure and structuration) of one or more real or fictitious events Communicated by one, two, or several (more or less overt) narrators to one, two, or several (more or less overt) narratees.……"

有關敍述的觀念，另參《二十世紀文學理論》第二章「俄國形式主義文藝理論」。這裏談到：事序結構可以界定爲故事內「事件的描寫」，更準確地說，「事序結構」可以解釋爲動作依照時序和因果關係的呈現。「敍述結構」的觀念相對於「事序結構」，形成主義論者認爲「敍述結構」是語意材料在特定作品範疇中的呈現方式，也可以說「事序結構」只是「敍述結構」的建造材料。（頁一五—一六）

⑤ 見伯倫漢《史學方法論》，頁五一三。

⑥ 史家從事歷史敍述時，不但敍述一件事，也敍述相關事，不但敍述一事的外貌，也敍述一事的內蘊；敍述歷史事實的淵源、原因、發展、影響，也敍述歷史整個演進，以及過去、現在、未來三者之間的關係，現代學者往往又細分做「歷史敍事」和「歷史解釋」。可參見杜維運《史學方法論》，及甲凱《史學通論》。

⑦ 見白氏〈談歷史文學——談史學遺產答客問之四〉一文。

⑧ 見杜氏《史學方法論》第十五章「傳記的特質和撰寫方法」，頁二四六。

⑨ 柳璨作《史通析微》評子玄「妄誣聖哲」之失，《舊唐書》卷一七九有傳。孫何作《駁史通》十餘篇，《宋史》卷三〇六有傳。宋祁在《新唐書》卷一三二說：「知幾以來，工訶古人而拙於用己」，頁四五四二。關於歷來學者對《史通》的批評可參見林時民《劉知幾史通之研究》緒論，頁二——七。

⑩ 見明張之象《史通》序，臺北中央圖書館藏本，及《四庫全書總目》〈史評類．史通通釋〉。

⑪ 紀昀以浦起龍《史通通釋》爲底本，對《史通》書中「偏駁太甚」者，加以削去而編成《史通削繁》。主要削去〈載言〉〈表歷〉〈疑古〉〈點煩〉四篇，其他各篇亦有刪節。

⑫ 現存《史通》最早刻本爲：明陸深本及張之象本。現存《史通》最早注本有：明陳繼儒《史通訂註》及王惟儉《史通訓故》，清黃叔琳《史通訓故補》及浦起龍《史通通釋》。浦本資料詳贍，正文中的夾釋，對章句的批評或疏解，往往能窮本溯源，頗有點睛之妙，故爲今最流行的版本。下文凡引《史通》，均採清浦起龍注本《史通通釋》（臺北：里仁書局，民六九年九月二十日鉛印本）

⑬以上三書附在《史通通釋》（里仁書局鉛印本）之後。

⑭研究期間蒙劉教授漢初熱心關注，張注甫出版，發行於香江之際，劉教授卽千里持贈，提携愛護之情，特此銘謝。

⑮清代學者中章學誠最先注意到《史通》在史學方法的成就，其《文史通義》說：「劉言史法，吾言史意」，又說「劉知幾得史法，而不得史意」是其《文史通義》寫作的原因。（見〈外篇三・家書二〉，頁三三三）民國以後，如陸懋德《史學方法大綱》自序說：「唐人劉知幾作史通內外篇，是爲專言方法之始，內篇以論史體，外篇以評史料，其言備矣。」錢穆雖予《史通》低評，姑不論是否公允，卻也指出全書的特色說：「他只注意在幾部史書的文字上，沒有注意到史的內容上。他只論的史法，沒有眞接觸到史學。」（頁一五五）余英時《歷史與思想》分別劉、章的成就說：「史通所討論的問題僅限於史籍的各種體裁，如紀傳、編年之類的利害得失以及歷史方法論等等，至於對史學本身及其有關各方面作有系統的哲學性的思考，則兩千餘年來，我們祇能舉出章學誠一人，而文史通義一書也是唯一的歷史哲學的專著。」（見〈章實齋與柯靈烏的歷史思想——中西歷史哲學的一點比較〉，頁一七二）

⑯見傅振倫《唐劉子玄先生知幾年譜》，頁一〇七。金毓黻《中國史學史》，頁二二二——二二三。侯外廬、白壽彝、楊翼讓等大陸學者的見解，見《中國史學史論集》第二輯所收，頁一四、八四及一四九。

⑰詳見許氏著《劉知幾的實錄史學》。莊萬壽採許氏之說，亦認同知幾在《史通》所建立的歷史分類，歷史體例的架構，歷史分類的方法，是以實錄直書的精神來貫穿的。見〈劉知幾實錄史學與孔子思想的關係之研究〉一文。

⑱詳見雷氏著〈唐前期國史官修體制的演變——兼論館院學派的史學批評及其影響〉一文，引語見頁三六。

⑲經學與史學的關係，論者已多，錢穆〈經學與史學〉一文認爲經學離史學自樹一幟，乃東漢馬鄭班蔡之流所造成。（中

國史學史論文集㈠，頁一二〇——一二五）雷家驥認爲經學與史學畫境，應始自司馬遷史記之作。（見註二〇，頁一七——二三）兩人持見不同，但均承認兩漢時，史學不附庸於經學之下。逯耀東撰文均以爲兩漢時史學乃附庸於經學之下，並未獨立，其論點同馬端臨一樣從史志所載史籍的數量，來論定史學獨立的問題：如〈隋唐經籍志史部雜傳類的分析〉，輔仁大學人文學報第一期，民五十九年九月。〈別傳在魏晉史學中的地位〉，幼獅學誌十二卷一期，民六十三年。〈從隋書經籍志史部的形成論魏晉史學轉變的歷程〉，食貨月刊復刊十卷四期，民六十九年七月。〈魏晉別傳的時代性格〉（見註一一）。〈魏晉志異小說與史學的關係〉，食貨月刊十二卷二期，民七十一年八月。〈經史分途與史學評論的萌芽〉，大陸雜誌七十一卷六期，民七十四年十二月。以上諸文可參閱。

⑳ 見《史通通釋・煩省》所引，頁二六三。

㉑ 見范氏〈獄中與諸甥姪書〉一文，鼎文書局標點本《宋書・范曄傳》引，頁一八三三。又收在《全宋文》，卷一五，頁一一二。

㉒ 《文苑英華》，卷六一〇，表五八，進文章一。（四庫本，冊一三三八，頁六六六）又收在《全唐文》，卷三二二，冊二，頁一四六五上。

㉓ 《史記正義》卷首（四庫本，冊二四七，頁一五），又收在《全唐文》，卷三九七，冊二，頁一八一九上。

㉔ 《史記》附（四庫本，冊二四四，頁九六二），又《全唐文》，卷四〇二，冊二，頁一八四四上。

㉕ 《全唐文》，卷二九九，冊三，頁一三五七下。

㉖ 以下所引《文心雕龍・史傳》，據學海書局影印范文瀾注本，頁二八三—二八八。

㉗ 參見楊周翰〈歷史敍述中的虛構——作爲文學的歷史敍述〉。

㉘ 如傅振倫、范文瀾、蔣祖怡等。傅氏《唐劉子玄先生知幾年譜》云：「按吾國評論史學義例之書，初倡於劉勰文心雕龍史傳篇……唯彥和深知史法之要，然尚未遑自創條例也。李唐有劉知幾先生者，懷獨見之明，負不刊之業。歷觀自古史傳，積極忘返；乖史家之規模，違先哲之準的。因發憤而撰史通二十卷，備載史體之要。」（頁一五—一六）范氏《文心雕龍注》〈史傳〉篇題注云：「案史通專論史學，自必條舉細目，文心上篇總論文體，提挈綱要，體大事繁，自不能如史通之周密。然如史通首列六家篇特重左傳、漢書二家，文心詳論左、傳、史、漢，其同一也；史通推揚二體，言其利弊，文心亦確指其短長，其同二也；至於煩略之故，貴信之論，皆子玄書中精義，而彥和已開其先河，安在其爲敷衍充數乎？至如浮詞篇，夫人樞機之發至章句獲全，並文心之辭句亦擬之矣。」（頁二八八）蔣氏〈劉知幾史通與劉勰文心雕龍〉云：「在唐代，受文心雕龍影響最深的，莫過於劉知幾的史通了。兩書相去約二百年左右，一論文，一論史，但他們之間的繼承、發展的關係是很明顯的。」（頁二六六）

第二章 劉知幾生平概述及史通的撰述背景

第一節 劉知幾生平概述

劉知幾，字子玄，生於唐高宗龍朔元年，卒於玄宗開元九年（西元六六一—七二一年），徐州彭城（今江蘇銅山縣）叢亭里人①，睿宗景雲元年（西元七一〇年）東宮太子（即後來的玄宗）名諱隆基②，因改以字行世，享年六十一。《舊唐書》及《新唐書》均有劉知幾的傳。

壹、家　世

知幾出生於士族，自幼即受書香薰染。知幾曾撰《劉氏家史》十五卷、《劉氏譜考》三卷，上推劉氏為陸終苗裔，彭城叢亭里諸劉，出自楚孝王囂（漢高祖八世孫）曾孫居巢侯般。③梁肅（寬中）〈給事中劉公墓誌〉云：「公姓劉氏，諱廻，彭城人，楚元王交之後也。當漢興諸侯王子孫，唯楚為盛，世為儒宗，光耀史諜。」④又李邕（北海）〈唐贈太子少保劉知柔神道碑〉云：「粵若伯豫談經，景瑜志學，令言穎邁，王喬名理，迴仁之撫綏，內使之節義。是以嗣前人，食舊德，鼓篋史傳，柱石邦家，其來遠矣！」⑤可見知幾先祖不僅代傳儒業，且昭見於史傳。沿至唐代，知幾上三世，均以文學顯達，因此《舊唐書》入〈文苑列傳上〉，《新唐書》入〈文藝列傳上〉。⑥

知幾從祖父劉胤之「少有學業，與隋信都丞孫萬壽、宗正卿、李百藥爲忘年之友」，「永徽初，累遷著作郎宏文館學士。與國子祭酒令狐德棻、著作郎楊仁卿等撰成國史及實錄」。⑦胤之爲飽學之士，且曾預修國史，與初唐兩大史家李百藥和令狐德棻同友共事，開啓了劉家注重史學之門風。

知幾從父劉延祐，弱冠即進士及第，有文名，「累補渭南尉，刀筆吏能，爲畿邑當時之冠」。亦有政績，「徐敬業之亂，揚州初平，所有刑名，莫能決定，延祐奉使至軍所決之」，結果是「得全濟者甚衆」。⑧

知幾父親劉藏器，「亦有詞學」⑨，爲官剛正耿直，高宗時爲侍御史，不畏強權，曾二度劾止卿尉竇琳脅人爲妾，監察御史魏元忠稱其賢。⑩知幾個性孤介有稜，得自父親遺傳，而學植根基，亦賴父親嚴格施予之庭訓。⑪

知幾排行第五，含章、貢、居簡、知柔、知章等兄弟六人，並「進士及第，文學知名」，鄉人遂改鄉里曰高陽鄉居巢里。⑫此與其父嚴謹之家教關係甚大。又從知幾自敍其「父兄欲令博觀義疏」，以精《左傳》一經看來，⑬除了家學外，兄弟間切磋，必有助於知幾進學。

知幾家第顯盛，可見一斑。其後亦代有聞人。子六人：貺、餗、彙、秩、迅、廻，皆有學行稱世，任職高官。⑭貺、餗二子繼承父職，擔任史官修國史，四子秩撰《政典》一書，爲稍後杜佑《通典》之張本⑮，俱能紹揚父風，發展史學。劉氏一門時以述作聞於時，可謂充分體現漢唐以來家學相傳的治史風氣。⑯

貳、仕履

知幾邁入仕途，始於弱冠登進士第後，任獲嘉縣（河南省獲嘉縣）主簿，乃正九品下小官。據《新唐書・百官志》云：

> 上縣：令一人，從六品上；丞一人，從八品下；主簿一人，正九品下；尉二人，從九品上。（卷四十九下，頁一三一八）

考《通典・職官》所云：

> 唐縣有赤、畿、望、緊、上中下之差，京都治所爲赤，京之旁邑爲畿，其餘則以戶口多少，資地美惡爲差。

而《新唐書・百官志》中京畿之外，只分上縣、中縣、中下縣四等，並無望、緊之目，又《新唐書・地理志》「河北道懷州河內郡」條下注獲嘉爲望縣（卷三十九，頁一〇一〇），由此以推，望、緊二縣可能歸於上縣，則獲嘉縣主簿，官當在正九品下。

知幾任獲嘉縣主簿，前後計十九年，到了三十九歲才有了轉機。入京後知幾先後轉任右補闕及定王府倉曹。⑰據《新唐書・百官志》云王府官倉曹掌祿稟、廚膳、出內、市易、畋漁、芻藁，正七品上（卷四十九下，頁一三〇六）。而中書省所置右補闕，官階從七品上，低於倉曹參軍。考《新唐書・百官志》「中書省」條下云：

右散騎常侍二人，右諫議大夫四人，右補闕六人，右拾遺六人，掌如門下省。（卷四十七，頁一二一二）

並未明其官階，而比對「門下省」條下所云：

右補闕六人，從七品上。（卷四十七，頁一二〇八）

故推右補闕，官當同左補闕從七品上。此時知幾在宦途上雖稱不上得意，但其史才已被賞識，而與徐堅、徐彥伯、張說等人同修《三教珠英》。⑱

《三教珠英》編成後，知幾仕途有了決定性的轉變，他在武后長安二年（西元七〇二年），即四十二歲時接任「著作佐郎」一職，開始了載筆的生涯。《史通・原序》云：

長安二年，余以著作佐郎，兼修國史。尋遷左史，於門下撰起居注。會轉中書舍人，暫停史任。俄兼領其職，今上即位，除著作郎、太子中允、率更令，其兼修史如故。又屬大駕還京，以留後在東都，無幾，驛徵入京，專知史事，仍遷秘書少監。

知幾以著作佐郎兼修國史，此後歷任左史、著作郎、秘書少監等職，所謂「三爲史臣，再入東觀」，與史學結下了不解之緣。

據《新唐書・百官志》「秘書省」條下云：

著作局

郎二人，從五品上；著作佐郎二人，從六品上；校書郎二人，正九品上；正字二人，正九品下。著作郎掌撰碑誌、祝文、祭文，與佐郎分判局事。（卷四十七，頁一二一四）

可知著作佐郎在當時並非專職史官。知幾是以史館兼修之名首度進入史館修史。⑲不久，知幾升遷爲左史，即門下起居郎之職。其職掌和官階，見《新唐書・百官志》「門下省」條下云：

起居郎二人，從六品上，掌錄天子起居法度。天子御正殿，則郎居左，舍人居右。……起居舍人本記言之職，唯編詔書，不及它事。（卷四十七，頁一二〇八）

左史是專職史官，掌錄天子起居法度，但在武后朝時，形同虛設，已失去預聞機要之權。⑳長安四年，知幾四十四歲又擢升爲鳳閣舍人，鳳閣舍人即《史通・原序》所稱之中書舍人，㉑此時知幾暫罷史職，《新、舊唐書》知幾本傳，均以知幾任鳳閣舍人時仍兼修國史，失考於《史通・原序》。按《新唐書・百官志》「中書省」條下云：

中書舍人六員，正五品上，掌起草詔旨、制敕、册命。（卷四十七，頁一二一一）

知幾雖又升官，但起草詔旨、制敕、册命之權，已旁入武后親幸之手。

中宗神龍元年（西元七〇五年），知幾四十五歲先後除著作郎、太子中允、太子率更令等職，又兼修國史，是二度入館修史。太子中允、率更令平常職掌及官階，見《新唐書・百官志》「上東宮官」條下云：

左春坊

左庶子二人，正四品上；中允二人，正五品下；掌侍從贊相，駁正啓奏，總司經、典膳、藥藏、內直、典設、官門六局。（卷四十九上，頁一二九三）

又云：

率更寺

令一人，從四品上。掌宗族次序、禮樂、刑罰及漏刻之政。（頁一二九八）

神龍二年，中宗復辟後一年餘，自洛陽還都長安，知幾個性介直自守，不附奸邪，自乞留在東都洛陽，凡經三載，有人說知幾身爲史官而私自著述，於是在中宗景龍二年（西元七〇八年），知幾又奉驛召入京。㉒知幾當時四十八歲，任秘書少監職，並兼修國史，是三度入史館修史。《新唐書・百官志》「秘書省」條下云：

監一人，從三品；少監二人，從四品上；丞一人，從五品上。監掌經籍圖書之事，領著作局，少監爲之貳。（卷四十七，頁一二一四）

知幾任職主簿不算如意，但入京以後尚稱順遂，直至開元九年，其長子貺爲太樂令，犯事配流，知幾詣執政訴理，因犯上怒，才被貶爲安州別駕，不久死於任中，時年六十一歲。㉓

參、著　作

知幾平生著作很多，與當時學者合撰的有八種：《三教珠英》、《姓族系錄》、《唐書》、《高宗後修實錄》、《中宗實錄》、《則天大聖王后實錄及文集》、《睿宗實錄》及《太上皇實錄》；獨撰的有六種：《劉氏家史》十五卷、《劉氏譜考》三卷、《史通》二十卷、《睿宗實錄》十卷、《上皇實錄》五卷、《劉子玄集》三十卷，凡八十三卷。㉔這些作品，唯《史通》今存傳本，堪稱是知幾的代表作，是知幾進史館以後修史餘暇所撰。《史通．原序》云：

嘗以載削餘暇，商榷史篇，下筆不休，遂盈筐篋。於是區分類聚，編而次之。昔漢世諸儒，集論經傳，定之於白虎閣，因名曰《白虎通》。予既在史館而成此書，故便以《史通》爲目。且漢求司馬遷後，封爲史通子，是知史之稱通，其來自久。博採衆議，爰定茲名。

前一段話說明《史通》撰寫方式，是以讀史箚記爲基礎，加以整理編纂而成的，後人批評《史通》頗有重複牴牾之處，部分原因當在於此。後一段話則表示《史通》之取名有個來源：其一，蓋效法《白虎通》論辯經傳異同而定於一之意，亦欲論辯史學異同而定於一；《白虎通》撰成於白虎閣，而知幾於史館論辯史學所成之書，固可名之曰《史通》。其二，史館撰述以「分工」爲特色，取名《史通》，並有效法司馬遷通史之意，意欲彰顯史館所缺的通識精神。

《史通》全書二十卷，分內篇、外篇兩部分各十卷。內篇三十九篇，外篇十三篇，共五十二篇。

其中內篇亡佚〈體統〉、〈紕繆〉、〈弛張〉三篇，現流傳下來的，只有四十九篇。《新唐書・劉知幾傳》已稱《史通》四十九篇，則三篇當亡於北宋以前。[25]茲錄篇目如下：

內　篇

六家、二體、載言、本紀、世家、列傳、表曆、書志、論贊、序例、題目、斷限、編次、稱謂、採撰、載文、補注、因習、邑里、言語、浮詞、敍事、品藻、直書、曲筆、鑒識、探賾、摸擬、書事、人物、覈才、序傳、煩省、雜述、辨職、自敍、（體統、紕繆、弛張）。

外　篇

史官建置、古今正史、疑古、惑經、申左、點煩、雜說上、雜說中、雜說下、五行志錯誤、五行志雜駁、暗惑、忤時。

第二節　史通的撰述歷程

章學誠說：「唐世修書置館局，館局則各效所長也，其弊則漫無統紀而失之亂，劉知幾《史通》揚搉古今利病而立法度之準焉，所以治散亂之瘴厲也。」[26]這段話已道出知幾之作《史通》，與史館間之微妙關係，實耐人尋味。

近來學者對於漢唐之間歷史觀念與意識的發展脈絡，唐代史館與史官的關係，經、史、文之間分合獨立的學術概況，有進一步的論述及發現，以下借助前輩的研究成果，試分析知幾撰述《史通》的遠近因，可見知幾撰述《史通》的動機，與其入史館修史的關係非常密切。

壹、入史館前

一、天性近史善名理持辯

在唐代統治階層中，士族官吏仍沿魏晉南北朝以來的習慣，占政治結構中絕大多數，而科舉出身者，亦以士族居多。㉗一般認爲唐代科舉制度，大量提升平民寒素仕宦之途，事實上寒門藉科舉上升的比例，遠較一般人想像爲低，士族在科舉初期三百年間，運用了科舉制度而延長其政治社會地位，門第與進士第乃唐代仕宦的二大因素。㉘史官是官僚體系的一部分，士族史官高占史官總數的百分之五十七，張榮芳統計出的二十六族姓的史官家族表中，劉知幾便出於彭城劉氏彭城房一支。㉙

彭城劉氏彭城房中最早擔任史官的是劉胤之，他與孫萬壽、宗正卿、李百藥爲忘年之交，高宗永徽年間，與李百藥、令狐德棻兩大史家共撰國史、實錄。㉚劉知幾爲劉胤之的從孫，自幼受薰於史學家風，也表現了對史書特別的偏好和早熟的領悟力，〈自敍〉云：

> 予幼奉庭訓，早游文學。年在紈綺，便受古文尙書。每苦其辭艱瑣，難爲諷讀。雖屢逢捶撻，而其業不成。嘗聞家君爲諸兄講春秋左氏傳，每廢書而聽。逮講畢，即爲諸兄說之。因竊歎曰：「若使書皆如此，吾不復怠矣。」先君奇其意，於是始授以《左氏》，期年而講誦都畢。于時年

甫十有二矣。所謂雖未能深解，而大義略舉。

清人黃叔琳認爲知幾幼年受《古文尚書》業不進，聽講《春秋左氏》則心開，是胎性著根處所使然。㉛錢賓四並就知幾天性所近，歸咎知幾學術上的偏短，乃根於知幾本身做學問，只愛讀史而不通經，導致其所作《史通》，只注意在幾部書的文字上，沒有注意到史的內容，未講出史書背後的史情和史意，他所論的只是史法，並沒有眞接觸到史學。㉜

中國人向來重視經世致用之道，因此做學問時，往往講究「立乎其大」，對於形式性、技術性的文字問題，常常略於探討，甚或探討了，也流於簡單化，常常後繼無人進一步研究。《史通》全書著眼多在歷史敍述層次，此風格的呈現，是有其背景和意義的。史學的範圍何其大，若以後代標準責全求備古人著作，似乎不近情理。況且《左傳》兼具經書、史書兩種性質，唐代科舉制度明經科以《左傳》爲一大經，需要三年時間研治，㉝知幾一年的時間讀完，便大義略舉，誠亦天資聰穎，難能可貴。事實上知幾並非不通經，知幾本人曾參與過兩次經學辯論㉞，知幾若非熟諳經書，又怎能撰成〈疑古〉、〈惑經〉、〈申左〉諸篇。

知幾天性近史之外，幼年尙有一項本事：類似玄學家論辯的口才。玄學尙講辯而重名理，《新唐書》本傳中說知幾「善持論，辯據明銳」，此頗有魏晉遺風。知幾生長於南方，南方崇尙玄理，知幾幼年時，即善於談辯，《史通・自敍》云：

自小觀書，喜談名理，其所悟者，皆得之襟腑，非由染習。故始在總角，讀班、謝兩漢，便怪前書不應有古今人表，後書宜爲更始立紀。當時聞者，共責以爲童子何知，而敢輕議前哲。於是赧然自失，無辭以對。其後見張衡、范曄集，果以二史爲非。其有暗合於古人者，蓋不可勝紀。始知流俗之士，難與之言。凡有異同，蓄諸方寸。

《史通》評述前史優劣得失之精神意趣，如睹玄學遺風，殆可追源於知幾「善於持辯」之異稟。許冠三指出知幾史學思想中，以理爲本的精神，與他「自小觀書，喜談名理」有關，許氏極推崇知幾於名言推理上的突破，他說：

於古史傳說之考證中，知幾既善於以文獻內證自核，文獻之內證與外證互勘，又精於作各種形式之邏輯推理，在古人所習用之類比推論而外，且用及今人所說之歸納與演繹推理。其論證程式，既有希臘式之三段論式，亦有印度式之因明推喻。其疑堯禪位於舜，舜陟方乃死，與益爲啓所誅之推論，即循因明程式。後二者所用之因明式比前者更爲明顯。㉟

另外，逯耀東也以爲〈暗惑〉篇中駁難史書的方法，是魏晉談玄論難的形式。㊱姑不論劉知幾好名理持辯，是否與魏晉玄談有關，但至少可確定的是《史通》論難之機鋒，「多譏往哲，喜述前人」的膽量，蓋都是其幼年善於論辯、喜談名理的回響。

二、任主簿餘暇廣涉群籍

知幾天性近史，自幼即好學深思，凡有疑異，不苟同流俗，能持言論辯。二十歲以前成學，得自於家學庭訓，二十歲以後任官獲嘉縣時期，博覽經史百家之書，植下了深厚的史學根柢。知幾在青少年成長的階段，除了偏愛史學，亦有仕進的念頭，故兼習詩賦，亦揣摩於文學之間，如〈自敍〉篇說：「予幼奉庭訓，早游文學。」「但于時將求仕進，至於專心諸史，我則未暇。」「余幼喜詩賦，而壯都不爲，恥以文士得名，期以述者自命。」「余初好文筆，頗獲譽於當時。晚談史傳，遂減價於知己。」又〈忤時〉篇說：「僕幼聞詩、禮，長涉藝文，至於史傳之言，尤所耽悅。」可見知幾年輕的時候，尙未有著書立言的想法，但因爲興趣在讀史，「公私借書，恣情披閱」的結果，奠定了知幾日後撰述《史通》博論史書的基礎。

唐代入仕的途徑很多㊲，寒素靠科舉而仕進，門第士族亦靠科舉而相互提攜，提升政治社會地位，則科舉課試的項目，必然影響士子讀書治學的風氣。科舉普遍以通經能文者爲尙㊳，相對使得經籍義疏之學、辭章詩賦之學都發達起來，在這種治學風氣下，知幾既對《左傳》有興趣，父兄便自然「欲令博觀義疏，精此一經」（〈自敍〉篇），知幾天性所近在於史，當然不願意窮究《左傳》一經而已，於是：

> 辭以獲麟已後，未見其事，乞且觀餘部，以廣異聞。次又讀史、漢、三國志。既欲知古今沿革，曆數相承，於是觸類而觀，不假師訓。自漢中興已降，迄乎皇家實錄，年十有七，而窺覽略周。其所讀書，多因假賃，雖部帙殘缺，篇第有遺，至於敍事之紀綱，立言之梗概，亦粗知之矣。
>
> （〈自敍〉篇）

知幾博讀史書的強烈慾望，很明顯可看到知幾以治史的態度研讀《左傳》，故不願意埋首於義疏。但科舉對知幾亦不無影響，知幾表明了專心史書，與求科舉仕進間相互衝突的無奈時說：

但于時將求仕進，兼習揣摩，至於專心諸史，我則未暇。（〈自敍〉篇）

知幾二十歲進士及第，即授獲嘉縣主簿，任職其間，利用公餘之暇旅游京洛，恣情披閱經史諸子及雜記小書，終於一償寖淫史學之宿願。〈自敍〉篇說：

洎至登弱冠，射策登朝，於是思有餘閑，獲遂本願。旅游京洛，頗積歲年，公私借書，恣情披閱。至如一代之史，分爲數家，其間雜記小書，又競爲異說，莫不鑽研穿鑿，盡其利害。

獲嘉縣即今河南省獲嘉縣，獲嘉縣主簿官階在正九品下，蓋輔佐縣令導風化、察寃滯、聽獄訟者。[39]知幾一任便是十九年，故前文云「頗積歲年」。十九年不調職，仕宦不如意，雖埋沒了知幾史才的展現，然而知幾得以利用更多餘暇鑽研於史學，亦未嘗不是知幾之幸事。據統計《史通》所引經史百家之書，至少有一百四十六種之多，茲錄如下：[40]

譙周《古史考》，荀悅《漢紀》、《漢尚書》，謝沈《漢書》、《後漢尚書》，袁宏《後漢紀》，華嶠《漢典》、《東觀漢記》，習氏《漢晉春秋》，晉孔衍《漢魏尚書》，王沈《魏書》，項俊《吳書》，魚豢《魏略》，孫盛《魏春秋》，王隱《蜀紀》，張勃《吳錄》，王隱《晉書》，沈約《晉書》，孫盛《晉陽秋》，干寶《晉紀》，何法盛《晉中興書》，陸機《晉書》，臧榮緒《晉書》，檀道鸞《續晉陽秋》，徐廣《晉紀》，王劭《晉書》，唐太宗《晉書》，沈約《宋書》，裴子野《宋略》，江淹《齊紀》，吳均《齊春秋》，何之元、劉璠《梁典》，姚察《梁書》，姚最

《梁略》，姚思廉《梁書》，裴政《梁太清實錄》，蕭韶《太清紀》，蔡允恭《後梁春秋》，姚思廉《陳書》，公師彧《十六國史》、《鄴都紀》、《趙紀》，杜輔全《燕紀》，董統《燕史》，王景暉《南燕錄》，常璩《蜀李書》，索綏《梁國春秋》，張重華《涼紀》，索暉《涼書》，劉昞《涼書》，裴景仁《秦記》，馬僧虔《秦史》，衛隆景《秦史》，姚和《都秦紀》，崔鴻《十六國春秋》，魏收《後魏書》，蕭子顯《齊書》，王劭《北齊志》，杜台卿《齊紀》，李百藥《北齊書》，牛弘《周書》，令狐德棻《後周書》，李延壽《南北史》，王劭《隋書》，孔穎達《隋書》，顏師古《隋書》，張太素《齊后略》，皇甫元《晏帝王世紀》，陶宏景《帝王歷》，虞世南《帝王略》，梁武帝《通史》，元魏王暉《科錄》，樂資《春秋後傳》，孔衍《春秋後語》，司馬彪《九州春秋》，阮氏《七錄》，蕭方等《三十國春秋》，干令昇《史議》，樂資《山陽公載記》，陳壽《季漢輔臣記》，王韶《晉安陸記》，姚最《梁後略》，王粲《英雄記》，劉向《列仙傳》，劉向《列女傳》，杜預《列女記》，梁鴻《逸民傳》，趙采《忠臣傳》，徐廣《孝子傳》，嵇康《高士傳》，皇甫謐《高士傳》，戴逵《竹林名士記》，揚雄《蜀記》，周稱《陳留者舊傳》，周斐《汝南先賢行狀》，陳壽《益部者舊傳》，楚國《先賢傳》，蕭世誠《懷舊志》，盧子行《知己傳》，蕭大圜《淮海亂離志》，和嶠《汲冢紀年》、《西京雜記》、《三輔黃圖》，宋孝王《關東風俗傳》、《南徐州記》、《晉宮闕名》、《洛陽伽藍記》、《鄴都故事》，趙岐《三輔決錄》，沈瑩《臨海水土記》，周處《陽羡土風記》，桑欽《水經》，盛宏之《荊州記》，常璩《華陽國志》、《華陽士女記》、《會稽典錄》，辛氏《三秦志》，羅含《湘中記》，潘岳《關中記》，陸機《洛陽記》、《建康宮殿記》、揚雄《家牒》、謝承《家語》、摯虞《姓族記》、《殷敬世傳》、《孫氏譜記》、《六宗繫傳》，楊子山《哀牢傳》，顧協《瑣語》，謝綽《拾遺》，劉義慶《世說新語》，裴榮期《語林》，孔思尙《語錄》，楊松介《談藪》，韋昭《洞記》，郭子橫《洞冥記》，王子年《拾遺記》，劉劭《人物志》，陸景《典語》，劉勰《文心雕龍》，李充《翰林論》，摯虞《文章流別》、《祖台志怪》，干寶《搜神記》，劉義慶《幽明錄》，劉敬叔《異苑》。

三、仕途上的徘徊與警惕

歷來學者大都認為劉知幾《史通》對於前人及史書的批評，過於苛刻，但亦不得不承認其批評之精核。明焦竑《焦氏筆乘》既說「知幾指摘前人極其精核，可謂史家之申韓」，又說他「多輕肆譏評，傷於苛刻」㊶明郭延年《史通評釋》序也給予正負兩種評價，認為《史通》考究精覈，義例嚴整，徐堅以為當置座右之言，並非虛譽。但是薄堯舜、惑春秋、訶馬遷，前無賢哲，宋祁以為工訶古人，亦非誣善。㊷紀昀置《史通》於《四庫提要》史評類之首，說知幾是「載筆之法家，著書之監史」㊸，雖肯定《史通》史學評論的價值，但又作《史通削繁》，削去〈惑經〉篇中「是非謬於聖人」的大段文字。《史通》激烈的批評言詞中，包括了儒家的經典在內，後世學者紛紛責斥知幾膽大妄為，犯下叛道侮聖的大罪。不過，錢大昕對於這個問題卻持不同看法：他認為知幾在武后、中宗之世擔任史職，由於長時期參與史館撰修工作，深深了解史館許多弊端，以及監修貴臣干預史書撰修，如果直接批評，恐怕會招來禍害，於是藉論聖非經、大言蔑古爲依托，然後對當時官修國史的制度，作一嚴厲批判。清錢大昕認爲知幾對儒家經典的批評，完全是言不由衷，不過是藉以避禍而已。㊹

錢氏的推論十分有趣，但不可盡信，如果知幾眞的是要藉古諷今以避禍，《史通》〈史官建置〉〈忤時〉〈載文〉〈辨職〉諸篇便不致針對史館史官輕置譏評了。然而周身避禍之說，頗耐追尋。《舊唐書・劉子玄傳》載：

> 證聖年，有制文武九品已上各言時政得失，知幾上表陳四事，詞甚切直。是時官爵僭濫而法網嚴密，士類競爲趨進而多陷刑戮，知幾乃著〈思愼賦〉以刺時，且以見意。鳳閣侍郎蘇味道、李嶠見而歎曰：「陸機〈豪士〉所不及也。」㊺

《文苑英華》卷九十二收錄了知幾在武后證聖元年（六九五年）所寫的〈思愼賦〉。在〈思愼賦〉的序中，知幾首先提出他觀古今人物，見吉凶成敗的體驗是「然歷觀自古，以迄於今，其有才位見稱，功名取貴，非命者衆，克全者寡」，而後他分析古往今來「非命者衆，克全者寡」的現象，體驗出一套應世之道：「蓋不過愼言語，節飲食，知止足，避嫌疑：若斯而已矣」。這時候知幾三十五歲，已做了十五年獲嘉縣主簿，對於當時的政治環境已有自覺和警惕，所以做了〈思愼賦〉，那時候的心情可用序中一段話來表示：

> 加以守愚養拙，怯進勇退；每思才輕任重之誡，智小謀大之憂；觀止足於居常，絕覬覦於不次，

是以度身而衣，量腹而食；進受代耕之祿，退居負郭之田。庶幾全父母之髮膚，保先人之丘墓。一生之願，於斯足矣。㊻

陸機〈豪士賦〉序所謂「身危由於勢過，而不知去勢以求安，禍積起於寵盛，而不知辭寵以招福」「聖人忌功名之過己，惡寵祿之踰量，蓋爲此也」㊼，與知幾〈思慎賦〉序「守愚養拙，怯進勇退」「觀止足於居常，絕覬覦於不次」的心態的確相近，其目的都是爲了避禍。所以當時鳳閣侍郎蘇味道、李嶠讀了知幾的〈思慎賦〉，感嘆地說：「周身之道盡矣！」㊽，並拿來跟陸機的〈豪士賦〉比美。

蘇味道與李嶠俱以文辭知名，時人謂之蘇、李，武后證聖年間，同爲鳳閣侍郎。二人與楊再思、韋巨源等都依附外戚宗楚客、紀處訥唯唯諾諾。蘇味道曾對人說：「處事不欲決斷明白，若有錯誤，必貽咎譴，但摸稜以持兩端可矣。」所以時人稱他「蘇摸擬」。㊾楊再思，爲人巧佞邪媚，能得人主微旨，主意所不欲，必因而毀之，主意所欲，必因而譽之。有人問他爲什麼要這樣呢？他回答說：「世路艱難，直者受禍。苟不如此，何以全其身哉！」㊿韋巨源，佞媚官爵，以踵則天，謬說符祥，朋黨取媚。51知幾在〈思慎賦〉所表達的那種屈伸隨世的思想，正是當時宦場所流行的處世的態度，難怪蘇味道、李嶠會稱嘆知幾的〈思慎賦〉「周身之道盡矣！」。

知幾這種周身避禍的思想，同時反映在他其他的文學作品中。北京圖書館所藏的《珠英學士集》敦煌殘卷照片，尚存知幾三首詩作，題作「右補闕彭城劉知幾詩三百」52，茲錄如下：

次河神廟，虞參軍船先發，余阻風不進，寒夜旅泊一首朝謁馮夷祠，夕投孟津渚。風長川淼漫，河濶舟容與。回首望歸途，連山曖相拒。落帆遵迴岸，輟榜依孤嶼。復値驚波息，戒徒候前侶。川路雖未遙，心期頓爲阻。沈沈落日暮，切切涼飆舉。白露濕寒葭，蒼煙晦平楚。啼猿響岩谷，唳鶴聞河溆。此時懷故人，依然愴行旅。何當欣旣覯，郁陶共君敍。

讀漢書作一首

漢王有天下，欻起布衣中，奮飛出草澤，嘯吒馭群雄。淮陰旣附鳳，黥彭亦攀龍。一朝逢運會，南面皆王公。魚得自忘筌，鳥盡必藏弓。咄嗟罹鼎俎，赤族無遺踪。智哉張子房，處世獨爲工。功成薄受賞，高舉追赤松。知止信無辱，身安道亦隆。悠悠千載後，擊抃仰遺風。

詠史一首

泛泛水中萍，離離岸旁草。逐浪高復下，從風起還倒。人生不若茲，處世安可保。蘧瑗仕衛國，屈伸隨世道。方朔隱漢朝，易農以爲寶。飮啄得其性，從容成壽考。南國有狂生，形容獨枯槁。作賦刺椒蘭，投江溺流潦。達人無不可，委運推蒼昊。何爲明自銷，取譏於楚老。

第一首詩當是知幾由獲嘉縣主簿，轉任京師右補闕，途中經華陰馮夷寺，船泊孟津渡待發，遇風受阻時所寫下的旅中感懷，時在武后聖曆二年（六九九年），知幾已三十九歲。

唐人重視京官，輕視地方官。[53]知幾自高宗永隆元年（六八〇年）擢進士第任獲嘉縣主簿以來，近二十年不調，這次轉任京師，心中理應振奮歡愉，但詩中全然沒有入京升官的喜悅，反而充滿蕭瑟愴然之情，竟有世事前程兩茫茫的感覺。當然，旅途風阻，寒夜孤舟，有助於人引起感懷，而此感懷亦是知幾感到仕途艱險，此去吉凶未卜，故有踟躕之意。

劉知幾初抵京師任中書省右補，不久即轉任王府倉曹。右補闕的官階是從七品上，而王府倉曹的官階是正七品上，負責的業務卻是祿廩、廚膳、出納、市易、畋獵、芻稿等瑣事，㊹仕途仍不如意。但從這時候起，知幾已有漸被晉用的跡象。知幾任職王府倉曹時，即參預撰修《三教珠英》，並結識了徐堅。㊺京洛是知幾年少舊遊之地，但經過這些年的變動，當時對他來說，卻變成完全陌生的環境了，知幾生活在這樣一個陌生環境中，想力爭上游，屈伸隨世的周身之道，當然非常重要，在這種情況下，他再重讀《漢書》，對於張良的知止受辱，東方朔的屈伸隨時，就不由心嚮往之了。

後兩首詩皆深感仕途險惡，雖不能指出其作詩確切年代，大致可認爲是自聖歷二年至大足元年（七〇一年）三年間預修《三教珠英》時所作。㊻知幾在詩中悲韓信、彭越、黥布等攀龍附鳳，風雲際會南面封王，最後卻難免鳥盡弓藏，兔死狗烹之禍。只有張良功成不居，能知止而無辱，可以安身全道追赤松子遊；東方朔滑稽隱於朝，而終能「飲啄得其性，從容得壽考」。張良、東方朔都是知幾心羨仰慕的對象，他們如「水中萍」「岸旁草」，隨風浪高下而起伏，這種屈伸隨世的精神，正是知幾自我警惕的周身避禍之道。

在這段時間，知幾又寫了「安卑以從時」的〈韋弦賦〉，和「君子嚴其牆仞」的〈愼所好賦〉。㊼二賦精神與〈思愼賦〉旨趣是一脈相承的。不同的是〈思愼賦〉自戒於不安的政治環境，〈韋弦賦〉

與〈愼所好賦〉則是抵京師實際體驗後，提醒自己戒急燥及愼其所好。

知幾年青時候沈潛於書籍，二十歲舉進士，其本身又是士族出身，仕途應當一路坦蕩。但是知幾從二十歲一任主簿以來，數年不調，眼見而立之年已屆，仍想有一番作爲，如武后時便曾先後上表二次，針對當時政治問題，提出個人主張，一次是天授二年（六九一年）知幾三十一歲，一次是證聖元年（六九五年）知幾三十五歲。由於當時武后大興吏獄，良士多陷刑戮，所以知幾在這段期間所作的詩賦，表現了「守愚養拙，怯進勇退」的周身避禍的思想，此時知幾似乎只想能夠「全父母之髮膚，保先人之丘墓」就好了，與撰《史通》直道臧否的精神，相距實遠。

貳、入史館後

一、不滿史館的弊端叢生

知幾三十九歲入京，任王府倉曹時受命撰修《三教珠英》，修完之後隔年即擢升爲著作佐郎，開始了與史館結緣的關鍵時期，是年知幾四十二歲。

一般人都以爲著作佐郎的工作就是修史，但據《舊唐書・職官志》云：

貞觀三年閏十二月，始移史館於禁中，在門下省北，宰相監修國史，自是著作郎始罷史職。（卷四十三）

唐太宗將原隸於秘書省的史館獨立出來轉隸門下省後，著作郎已非專職史官，不再參預修史的工作，如欲撰史，尚需兼領史館史官之名。[58]秘書省著作局設的著作郎與著作佐郎各二人，日常職掌不過是修撰「碑志、祝文、祭文」等事而已，[59]因此知幾這時候應不算是史官，但是知幾史才已見重於時，同年即首度進入史館兼修國史。長安三年，已擢升爲門下起居郎，此職即《史通・原序》所稱的「左史」，並以左史身份重修《唐史》。[60]

知幾進入史館以後，史館的各種弊病都看得一清二楚，《史通》裏即有不少篇幅，批評當時修史制度的不合理現象。如〈忤時〉篇感慨自己「三爲史臣，再入東觀，竟不能勒成國典」，其間的原因，他分析如下：

古之國史，皆出自一家，如魯、漢之丘明、子長，晉、齊之董狐、南史，咸能立言不朽，藏諸名山。未聞藉以衆功，方云絕筆。唯後漢東觀，大集群儒，著述無主，條章靡立。由是伯度譏其不實，公理以爲可焚，張、蔡二子糾之於當代，傅、范兩家嗤之於後葉。今者史司取士，有倍東京。人自以爲荀、袁，家自稱爲政、駿。每欲記一事，載一言，皆閣筆相視，含毫不斷。故頭（或作「首」）白可期，而汗青無日。其不可一也。

前漢郡國計書，先上太史，副上丞相。後漢公卿所撰，始集公府，乃上蘭臺。由是史官所修，載事爲博。爰自近古，此道不行。史官編錄，唯自詢採，而左、右二史，闕注起居，衣冠百家，罕通行狀。求風俗於州郡，視聽不該；討沿革於臺閣，簿籍難見。雖使尼父再出，猶且成於管窺；況僕限以中才，安能遂其博物！其不可二也。

> 昔董狐之書法也，以示於朝；南史之書弒也，執簡以往。而近代史局，皆通籍禁門，深居九重，欲人不見。尋其義者，蓋由杜彼顏面，防諸請謁故也。然今館中作者，多士如林，皆願長喙，無聞齰舌。儻有五始初成，一字加貶，言未絕口而朝野具知，筆未栖毫而搢紳咸誦。夫孫盛實錄，取嫉權門；王劭直書，見仇貴族。人之情也，能無畏乎？其不可三也。
>
> 古者刊定一史，纂成一家，體統各殊，指歸咸別。夫尚書之敎也，以疏通知遠爲主；春秋之義也，以懲惡勸善爲先。史記則退處士而進奸雄，漢書則抑忠臣而飾主闕。斯並曩時得失之列，良史是非之準，作者言之詳矣。頃史官注記，多取稟監修，楊令公則云「必須直詞」，宗尚書則云「宜多隱惡」。十羊九牧，其令難行；一國三公，適從何在？其不可四也。
>
> 竊以史置監修，雖古無式，尋其名號，可得而言。夫言監者，蓋總領之義耳。如創紀編年，則年有斷限；草傳敍事，則事有豐約。或可略而不略，或應書而不書，此刊削之務也。屬詞比事，勞逸宜均，揮鉛奮墨，勤惰須等。某袠某篇，付之此職；某傳某志，歸之彼官。此銓配之理也。斯並宜明立科條，審定區域。儻人思自勉，則書可立成。今監之者既不指授，修之者又無遵奉，用使爭學苟且，務相推避，坐變炎涼，徒延歲月。其不可五也。

這裏指出史館的幾種弊病：㈠史官人多，衆人修史貴在分工，但大家往往互相觀望，怠於職守；㈡史館聚書修史，無闕疑考核的精神；㈢史館設於禁防，史官心存顧忌，稟承牽制，往往無從下筆，進退是非之間，不敢善自主張；㈣監修貴臣意見相左，令僚屬無所適從；㈤監修貴臣未盡督導分配之責。

知幾認爲監史的任務是規定體例、分配撰寫工作、監督工作人員的勤惰、訂定審稿的標準，但是監修貴臣常不懂什麼銓配之理，不知惟才器用，反而招用一些庸才修史，這是官修品質低落的主因，所以〈辨職〉篇說：

> 大抵監史爲難，斯乃尤之尤者。若使直若南史，才若馬遷，精懃不懈若揚子雲，諳識故事若應仲遠，兼斯具美，督彼群才，使夫載言記事，藉爲模楷，搦管操觚，歸其儀的，斯則可矣。夫人既不知善之爲善，則亦不知惡之爲惡。故凡所引進，皆非其才，或以勢利見升，或以干祈取擢。遂使當官効用，江左以不樂爲謠；拜職辨名，洛中以不閑爲說。言之可爲大噱，可爲長歎也。但今之從政則不然，凡居斯職者，必恩幸貴臣，凡庸賤品，飽食安步，坐嘯畫諾，若斯而已矣。
>
> 曾試論之，世之從仕者，若使之爲將也，而才無韜略；使之爲吏也，而術靡循良；使之屬文也，而匪閑於辭賦；使之講學也，而不習於經典。斯則負乘致寇，悔吝旋及。雖五尺童兒，猶知調笑者矣。唯夫修史者則不然。或當官卒歲，竟無刊述，而人莫之省也；或輒不自揆，輕弄筆端，而人莫之見也。由斯而言，彼史曹者，崇扃峻宇，深附九重，雖地處禁中，而人同方外。可以養拙，可以藏愚，繡衣直指所不能繩，強項申威所不能及。斯固素餐之窟宅，尸祿之淵藪也。凡有國有家者，何事於斯職哉！

史館的撰述史官，他們本身都有職事，平時處理日常公務，又必須另撥時間來兼負撰述史書的工作。也就是在其正常的工作外，增加額外的工作份量。因此，每當撰修國史或實錄完成獻上時，天子爲了體恤、酬庸他們的辛勞與成就，往往頒賜爵賞等以爲慰勉。[61]〈史官建置〉篇提到士子兢趨史職，爲了取悅君上，難免媚言曲筆：

> 而近代趨競之士，尤喜居於史職，至於措辭下筆者，十無一二焉。既而書成繕寫，則署名同獻；爵賞既行，則攘袂爭受。遂使是非無準，眞僞相雜，生則厚誣當時，死則致惑來代。而書之譜傳，借爲美談，載之碑碣，增其壯觀。

更甚者貴臣藉著修史，不惜曲筆厚誣，以攫取政治社會經濟上的優異地位，〈曲筆〉篇說：

> 至如朝廷貴臣，必父祖有傳，考其行事，皆子孫所爲，而訪波流俗，詢諸故老，事有不同，言多爽實。昔秦人不死，驗苻生之厚誣；蜀老猶存，知葛亮之多枉，斯則自古所難，豈獨於今哉！

綜上所論，知幾不僅分析了史館各種弊病，更將其責任歸咎於監修貴臣之失職。知幾目睹史館曲媚成風，感慨自己的史學理念無法伸張，潛意識裏自然興起「商榷史篇」的念頭，因此日後《史通》之撰述，以效法《白虎通》辨正群言之義，蓋導因於此。

二、相知諸友的激發鼓勵

劉知幾在入京之初猶有「守愚養拙，怯進勇退」的避禍思想，但是入史館以後，竟敢直言當道，批評當時史學、史館、史官，這種轉變需要莫大的勇氣，此勇氣很可能是知幾進入史館前後，相繼結識的志同道合的朋友，相互砥礪所致。〈自敍〉篇云：

及年以過立，言悟日多。常恨時無同好，可與言者。維東海徐堅，晚與之遇，相得甚歡，雖古者伯牙之識鍾期，管仲之知鮑叔，不過是也。復有永城朱敬則、沛國劉允濟、義興薛謙光、河南元行沖、陳留吳兢、壽春裴懷古，亦以言議見許，道術相知。所有榷揚，得盡懷抱。每云：「德不孤，必有鄰，四海之內，知我者不過數子而已矣。」

這段話至少反映出下列事實：㈠知幾年過三十尚未結識「可與言者」的朋友，可見知幾個性頗爲孤直，交游也不廣。㈡知幾七個至交中，最先結識徐堅，且與徐堅相知最深。㈢知幾與七個至交「言議見許，道術相知。所有榷揚，得盡懷抱」，可見他們不僅個性相近，而且史學理念也有一致的看法。而他們的見解與當代不同，也頗受當代排斥。

武后聖曆二年，知幾任定王府倉曹，時以文詞見稱，爲武則天的寵信張昌宗引用，撰修《三教珠英》，同修者尙有徐堅、徐彥伯、張說等人。在編輯過程中，知幾與徐堅成爲至交，知幾史才和史識也深獲徐堅賞識。大足元年（長安元年）編成後奏上。翌年，知幾轉遷著作佐郎，兼修國史時又與史館史官劉允濟、朱敬則等認識，這時知幾已四十二歲。知幾與諸友初不相識，後來相繼爲館院史官共事中，漸有機會接觸，切磋彼此的見解。

史館自太宗時由秘書省移隸門下省，由宰相監修以來，監修宰相的阿諛順從，秉筆史官的曲意取媚，漸成爲當時官修史風。武后臨朝以後，排除左右史預聞機密，並以親信或喜歡的宰相監修國史、實錄，館院制度徹底敗壞，「以史制君」和「實錄史學」的精神亦完全淪喪。[62]

其間，劉允濟有鑑於史學危機，於長安二年首先發難，提出「史權說」：

史官善惡必書，言成軌範，使驕主賊臣，有所知懼。此亦權重，理合貧而樂道也。昔班生受金，陳壽求米，僕視之如浮雲耳。但百僚，善惡必書，足爲千載不朽之美談，豈不盛哉。㊸

這段話論及史官的職責、操守，史書的功用和價値，目的欲喚醒史官的道德良知，恢復史學的尊嚴，強調史家的權力和責任。武則天在劉允濟此說倡議不久，於長安三年正月一日，勅令朱敬則、徐堅、劉知幾、吳兢等重修《唐史》，欲彌批評之實，但却特命武三思、李嶠等親信監修。㊹知幾此時本官左史，身爲起居郎，却無法預聞機密，記錄朝政大事，以知幾的個性才識，必然激起了情志難伸的鬱悶，其修《唐史》時，必與監修貴臣的意見格格不入。知幾在入京前後對政治的不滿尙有所抑遏，所以出現了詩賦中消極的思想，但自入史館修史以後，眼見各種不合理現象，加上諸同好的勉勵撻伐，於是一變激昂起來，亦欲力挽狂瀾於既倒。

長安三年七月，朱敬則又上表武后「請擇史官說」：

國之要者，在乎記事之官。是以五帝元風，資其筆削。三王盛業，藉以垂名。此才之難，其難甚矣。何以知其然，昔平王東遷，歷年六百，齊桓之九合天下，晉文之一戰諸侯，秦穆公遠霸西戎，楚莊王利盡南海，禮樂文物，闃爾無聞，今之所存，獨載魯史，向若魯無君子，記傳則遺，雄霸遠圖，必墜于地，可不惜哉。即如齊周小國之主，尙能留意于史册，齊神武嘗謂著作郎魏收曰：「卿勿見陳元康楊遵彥等，在吾目前趨走，謂吾以爲勤勞，我後代聲名，在于卿手，最是要事，勿謂我不知。」及文宣即位，又嘗勅收曰：「好直筆，勿畏懼，我終不作魏太武誅史官。」又周文帝之爲相也，納柳虬之說，特命書法不隱，其志在懲勸如此，伏以陛下聖德鴻業，誠可垂範將來，倘不遇良史之才，則大典無由而就也。且董狐南史，豈止生于往代，而獨無於此時，在乎求與不求，好與不好耳。今若訪得其善者，伏願勖之以公忠，期之以遠大，更超加美職，使得行其道，則天下幸甚。[65]

朱敬則當時身爲宰相，既倡此說，又頗能薦用人才，[66]故一時注目史官選任，頗見回應之效。史傳雖未記載知幾受朱敬則的推薦，但知幾於此時進身史館，其與劉、朱二人的相知相契，殆無可疑，由此亦可推想知幾的史才，在當時已受重視。顯然地，知幾的想法已受劉、朱二人影響，如長安三年，知幾答鄭惟忠問「文士多而史才少」的原因時，所提出的「史才三長說」，便綜合了劉氏的「史權說」，和朱氏的「請擇史官說」，《唐會要》卷六十二「修史官」條下云：

史才須有三長，謂才也，學也，識也。夫有學而無才，猶有良田百頃，黃金滿籯，而使愚者營生，終不能致貨殖矣。如有才而無學，猶思兼匠石，巧若公輸，而家無楩柟斧斤，終不能成其宮室矣。猶須好是正直，善惡必書，使驕主賊臣，所以知懼，此則爲虎傅翼，善無可加，所向無敵矣。

劉知幾及其朋友的關係，不僅個性、思想、精神、主張相似，《史通》的撰述，也受朋友的影響。今人多已指出，如林時民云：

劉知幾與其友人的共通點，大致在下列兩方面：㈠好學喜史：如徐堅「好學，遍覽經史，多識典故」；劉允濟「博學，善屬文」；薛「博涉文史」；元「博涉多通」；吳「勵志勤學，博通經史」；㈡耿直孤介：元行沖「性不阿順，多進規諫」；朱敬則曾因爲魏元忠被張易之兄弟構陷一事，獨抗疏申理，顯示他耿直無畏權勢；劉允濟在垂拱四年（AD688）明堂初成時，曾奏上明堂賦以諷，武則天不怪之，反手制褒美。中興初，授青州長史，爲吏清白，甚得長官之荐信。而吳兢、裴懷古之良直廉信，正如前面所述，不必多贅。凡此都可知道知幾與其知友，不論在個性品格上，或學問喜好上，都屬於同一類型，故而甚易形成諸人心目中視彼此爲「我群」（We Group），而在學問人品方面，互有砥礪之功。《史通》之撰作，亦因而有其關聯性。㊻

逯耀東進而認爲知幾是他們史學思想的總代言，《史通》是他們史學經驗的結晶，他說：

劉知幾和他的同伙，最初撰修國史所持的「善惡必書，言成軌範」的理想，無法實現。這種「事多遺恨」的經驗，不僅是劉知幾，也是與他同時參與國史的朱敬則、徐堅、吳兢、劉允濟所共有的，最後透過劉知幾的《史通》表露出來。所以，劉知幾的《史通》是他們共同痛苦經驗的總結，是他們的共同語言。《史通》寫成後，徐堅說：「居史職者，宜置此書於座右。」㊽

正因爲他們有共同特色，甚至有人認爲劉知幾及其朋友形成了一個學派，如白壽彝〈劉知幾的史學〉一文，即作專節討論，並肯定此學派思想的進步性，認爲了解此學派的特點，有助於研究八世紀思想史。[69] 雷家驥則以他們論道講學的背景皆在史館或修注院，乾脆別上一個「館院學派」的名稱。[70]

案：知幾七位友人均見於史傳，以下列出其生卒年及史傳所見的卷數：

友人名	生年	卒年	享年	史傳卷數	備註
徐堅	高宗顯慶四年 659 AD	玄宗開元十七年 729 AD	七一	《舊唐書》卷一〇二本傳，《新唐書》卷一九九〈儒學列傳·徐齊聃傳〉附見。	以上七人僅裴懷古未曾擔任史職。徐堅、朱敬則、吳競、劉允濟，都和知幾共修過國史，徐堅又曾和知幾同修過《三教珠英》及《姓族系錄》。
朱敬則	太宗貞觀九年 639 AD	中宗景龍三年 709 AD	七五	《舊唐書》卷九〇，及《新唐書》卷一一五本傳。	
劉允濟	？	中宗景龍年間 708-710 AD	？	《舊唐書》卷一九〇〈文苑列傳〉，《新唐書》卷二〇二〈文藝列傳·李適傳〉附見。	
薛謙光(後改名薛登)	太宗貞觀廿一年 647 AD	玄宗開元七年 719 AD	七三	《舊唐書》卷一〇一及《新唐書》卷一一二本傳。	
元行沖（名澹，以字行）	高宗永徽四年 653 AD	玄宗開元十七年 729 AD	七七	《舊唐書》卷一〇二本傳，及《新唐書》卷二〇〇〈儒學列傳〉。	
吳競	高宗咸亨元年 670 AD	玄宗天寶八年 749 AD	八〇	《舊唐書》卷一〇二及《新唐書》卷一三二本傳。	
裴懷古	？	？	？	《舊唐書》一八五〈良吏傳〉，《新唐書》卷一九七〈循吏傳〉。	

三、撰修武后實錄的抑鬱

前面已說過太宗移史館於門下省之後，史館史官多以他官兼領，即所謂「兼修國史」，而史官的負責人則稱作「監修國史」。高宗時尚能用史學家令狐德棻監修國史，後來則往往以宰相，甚或親信大臣監修，武后時更形嚴重，結果史館修史風氣更爲敗壞。知幾在〈忤時〉篇已痛陳史館各弊端，〈古今正史〉篇則更具體批評當時所修的史書錯謬失實：

> 龍朔中，敬宗又以太子少師總統史任，更增前作，混成百卷。如《高宗本紀》及永徽名臣、四夷等傳，多是其所造。又起草十志，未半而終。敬宗所作紀傳，或曲希時旨，或猥飾私憾，凡有毀譽，多非實錄。必方諸魏伯起，亦猶張衡之蔡邕焉。其後左史李仁實續撰于志寧、許敬宗、李義府等傳，載言記事，見推直筆。惜其短歲，功業未終。至長壽中，春官侍郎牛鳳及又斷自武德，終於弘道。撰爲《唐書》百有十卷。鳳及以喑聾不才，而輒議一代大典，凡所撰錄，皆素責私家行狀，而世人敍事罕能自遠。或言皆比興，全類詠歌，或語多鄙樸，實同文案，而總入編次，了無釐革。其有出自胸臆，申其機杼，發言則嗤鄙怪誕，敍事則參差倒錯。故閱其篇第，豈謂可觀；披其章句，不識所以。既而悉收姚、許諸本，欲使其書獨行。由是皇家舊事，殘缺殆盡。
>
> 長安中，余與正諫大夫朱敬則、司封郎中徐堅、左拾遺吳兢奉詔更撰《唐書》。勒成八十卷。神龍元年，又與堅、兢等重修《則天實錄》，編爲三十卷。夫舊史之壞，其亂如繩，錯綜艱難，

期月方畢。雖言無可擇，事多遺恨，庶將來削稿，猶有憑焉。

中宗復位，神龍元年（西元七〇五年），知幾除著作郎、太子中允、太子率更令等職外，又二度入史館兼修《則天實錄》，而監修貴臣仍是武三思、宗楚客等，武后時的人事系統，知幾他們堅持據事直書的原則，再次受到阻礙。這些恩倖貴臣既無學行，又猜忌正士。知幾處在當時那種環境，理想抱負才學都無法施展發揮，終於引起他「著述立言」，「商榷史篇」的念頭。〈自敍〉篇中知幾便曾明確表示，觸發他發憤撰寫《史通》的動機，是修《武后實錄》時的「鬱怏孤憤，無以寄懷」，他說：

> 長安中，會奉詔預修唐史。及今上（即中宗）即位，又撰則天大聖皇后實錄。凡所著述，嘗欲行其舊議。而當時同作諸士及監修貴臣，每與其鑿枘相違，齟齬難入。故其所載削，皆與俗浮沈。雖自謂依違苟從，然猶大爲史官所嫉。嗟乎！雖任當其職，而吾道不行，見用於時，而美志不遂，鬱怏孤憤，無以寄懷，必寢而不言，嘿而無述，又恐沒世之後，誰知予者。故退而私撰《史通》，以見其志。

又《新唐書・劉知幾傳》亦提及《史通》撰述於中宗神龍元年，知幾修《武后實錄》時：

> 始，子玄修《武后實錄》，有所改正，而武三思等不聽。自以爲見用於時而志不遂，乃著《史通》內外四十九篇。

在史權無法伸張，判斷無法自主的情況下，知幾覺得雖「見用於時」，然而「美志不遂」，載削之餘，於是退而私自撰述，備論史策之體，藉由《史通》對古今史書的批評，將其史學理念表達出來，以重振當時最迫切需要的實錄直書的精神。

唐初修史限於史館官修，館外私撰是被禁止的，知幾突破當時的禁令私自撰述《史通》，便受過阻撓，〈忤時〉篇說：

孝和皇帝（指中宗）時，韋、武弄權，母媼預政。士有附麗之者，起家而綰朱紫，予以無所傅會，取擯當時。會天子（指中宗復辟）還京師，朝廷願從者衆。予求番次，在大駕後發日，因逗留不去，守司東都。杜門却掃，凡經三載。或有譖予躬爲史臣，不書國事而取樂丘園，私自著述者。由是驛召至京，令專執史筆。于時小人道長，綱紀日壞，仕於其間，忽忽不樂，遂與監修國史蕭至忠等諸官書求退。

神龍二年，知幾修成《則天實錄》，中宗由東都洛陽還西京，知幾自乞留東都，欲續著《史通》，不到三年，又因爲譖言而被召回京都修史，當時宰相韋巨源、紀處訥、楊再思、宗楚客、蕭至忠等皆領監修，知幾痛惡監修宰相意見不一，於是向蕭至忠辭退史官之職，蕭至忠得書，悵惜不許，宗楚客等則嫉恨知幾所言，向其他史官說：「此人作書如是，欲置我於何地！」⑪由此推想《史通》的撰述必定相當困難，這也是《史通》成書以後，爲什麼見棄於時，不受歡迎的原因了。

第三節　唐初崇實的思想傾向

任何一部作品，必有順應其產生的時代背景。尤其理論性的著作，更可從當代的學術思潮中，找尋相應的思想內涵。近人已從學術發展的背景，探討《史通》的萌芽。如逯耀東從魏晉史學脫離經學而獨立的轉變，進行分析。他所說史學脫離經學而獨立，是指原來寄附在《漢書》〈藝文志·六藝略〉的史學著作，在漢魏之際，漸漸掙脫經學桎梏，終在目錄學上獨立成部的過程。他認爲杜預的《春秋左氏傳集解》，將史的意識注入經傳解釋中；裴松之注《三國志》，突破明理經注形式，轉變爲達事的史注；劉知幾視《尚書》《春秋》是史學記言、敍事的源頭，將經書納入史學範疇，視同歷史或典制的紀錄一樣考核其眞僞；都是受史學脫離經學的轉變所影響。⑫

最近還有龔鵬程從漢魏以降治經言例的作風，認爲知幾之重視史法史例，正是從經學家對「例」的研究發展來的。表面上經與史分開了，實質上却是把史學建立在經學之上。他引《史通·序例》所言：

> 史之有例，猶國之有法。國無法，則上下靡定；史無例，則是非莫準。昔夫子修經，始發凡例；左氏立傳，顯其區域。科條一辨，彪炳可觀。降及戰國，迄乎有晉，年逾五百，史不乏才。雖其體屢變，而斯文終絕。唯令升先覺，遠述丘明，重立凡例，勒成晉紀。鄧、孫以下，遂躡其蹤。史例中興，於斯爲盛。

歸納出三個重點：一知幾接受漢晉人對《春秋》的解釋，認爲孔子曾發凡起例。二強調東晉以後，條例之學已從經學成功地發展到史學上，干寶、鄧璨都是根據杜預「春秋釋例」一類理論，形成有關史例的看法。三知幾論史例亦有主禮主法以定上下尊卑的立場。由此推論知幾的史學理論，與六朝史學論史例史法的作風，具有深刻的內在關聯。知幾是利用經學上的左氏學建立一個以「左傳」爲主幹的史學系統，將經學上的《尙書》《春秋》歸入此一系統內，形成另一體系，以使經史分途，而運用有關春秋義例的研究，來討論史籍寫作的條例問題。㊸

以上二人論點幾乎相反，一說《史通》是史學脫離經學以後獨立活動的象徵，一說《史通》的理論體系是取法經學論例法的作風，二人實皆欲釐清《史通》處理經史的態度，然却不免又陷於經史的轇轕。逯氏遷就目錄學分類討論學術發展，忽略了史學本身發展中，意識和觀念的脈絡。龔氏論經學家條例之學的影響，未免過於疏濶，遽斷《史通》的理論系統是建立在經學之上，有欠周延。

根據雷家驥研究漢唐之間史學的說法，經學與史學的分途，應始自司馬遷創作《史記》。他從創作背景、創作意識動機、創作目的、學術對象、學術性質、學術方法等屢加分析《春秋》和《史記》的差別，肯定了司馬遷創造了一個講求實證的新史學。他說「春秋以道義」和「史記述故事，整齊其世傳」，就是經、史的分野。經學的對象是道德法則，史學的對象是過往的事實。司馬遷「罔羅天下放失舊聞，王迹所興，原始察終，見盛觀衰，論考之行事，略推三代，錄秦漢，上記軒轅，下至於茲。」表示這個新史學是搜集史料，將事迹放回歷史發展序列中加以比較觀察，對人物行事加以考證推論，而最後以記錄敍述的方式表達出來的一種學術。㊹

誠如上述，史學不必等到《隋書・經籍志》將史部獨立出來，才劃定了活動範圍。《史通》的產生也不在史學脫離經學的基礎上，而應該是史學思想、史學原理日趨精密的結果。

至於《史通》硜硜於辨析史例書法，原在恢復史學實錄精神。知幾說：

> 若《史通》之爲書也，蓋傷當時載筆之士，其義不純。思欲辨其指歸，殫其體統。[75]

所謂「辨其指歸，殫其體統」的批評方式，與《文心雕龍》「原始以表末、釋名以章義、選文以定篇、敷理以舉統」[76]論文的架構，頗爲類似。如更往前推看的話，這種批評方式，即是一種史觀式的批評——透過歷史源流的考察，剖析辨析的對象，而規模其適當的體式——早在《漢書・藝文志》班固爲群書所作的敍錄，就是這種方式。因此《史通・序例》所提孔子發凡起例，干寶、鄧璨論史例，只不過是敍源流而已。

高宗、武后時李義府、許敬宗即以詞科之士躋身修史，史官遂多以文辭之士充任。這即是知幾所感嘆「傷當時載筆之士，其義不純」。其實唐初史家修前代史已針對史書撰述的文體提出修正，他們一致有求實的傾向，反對梁陳以來浮靡的文風。如令狐德棻《周書・王褒庾信傳論》云：

> 子山之文，發源於宋末，盛行於梁季；其體以淫放爲本，其詞以輕險爲宗，故能誇目侈於紅紫，蕩心逾於鄭衛。昔揚子雲有言：「詩人之賦，麗以則；詞人之賦，麗以淫」。若以庾氏方之，斯又詞賦之罪人也。

李百藥《北齊書・文苑傳序》云：

> 原夫兩朝叔世，俱肆淫聲，而齊氏變風，屬諸絃管；梁時變雅，在夫篇什，莫非易俗所致，並

爲亡國之音。

魏徵《隋書・文學傳序》云：

> 梁自大同之後，雅道淪缺，漸乖典則，爭馳新巧：簡文、湘東啓其淫放；徐陵、庾信分路揚鑣。其意淺而繁，其文匿而采，詞尚輕險，情多哀思，格以延陵之聽，蓋亦亡國之音乎！

漢魏之際，駢文開始發展起來。宋、齊而後，文章詞藻日形繁富華文，國勢亦日趨衰微。梁、陳君主皆擅文學，宮體豔詩，靡然成風，隋唐以後則以江左文風爲亡國之音，持反對的態度。然而一文體之流行，豈能輕易改變，加上太宗篤嗜此道，詩文多仿徐、庾之體；高宗永隆二年（西元六八一年）起進士加試雜文兩篇；武后當政，又提倡科舉考試獎掖進士，士人遂亦重視詞采，因此唐初以來，一直有著浮辭豔語和文樸質實的爭論。[17]知幾反對以辭章取士，力主史應實錄，樸實無華，是上接初唐史家求實之風。近人羅宗強便認爲初唐反對綺靡，是一股崇實的思想傾向，《史通》的產生，正掌握住此思想潮流，他說：

> 史學上實錄思想的出現，說明社會思潮中有崇實的思想傾向。文學上的趨向於反映眞實的思想感情，反對僞飾，反對爲文而造情，乃是有堅實的社會思想背景的。求眞，無論是修史還是文學創作，都是這種思想背景的產物，不是偶然的孤立的現象。

又說：

> 陳子昂的主張的提出，略早於《史通》的成書，但無疑它是在《史通》反映的崇實的社會思想

背景上產生的。一個時期的這樣的社會思想背景，反映到史學理論上是實錄思想，反映到文學理論上便是興寄和風骨主張。興寄是要求有爲而發，風骨則是要求抒發濃烈的眞實的感情，二者都是要矯正浮靡，從實質上說，都是以眞矯僞。⑱

羅氏所說反對騈風的思想潮流，正是近代中國文學批評史上古文運動興起的主要背景。這也是《史通》一些主張，與古文學家一些論調，爲什麼不謀而合的原因了。

綜上所論，劉知幾撰寫《史通》的歷程，心中經歷了躊躇、孤憤、激勵三個階段。但是就劉知幾整個成長的過程和時代的背景探討，至少可具體分出五個過程。三十歲以前青年時期，因興趣所趨，廣博閱覽各家史書，奠下撰寫《史通》的基礎，是第一階段。第二階段，大概從三十歲到四十歲前後，猶豫徘徊於仕進，猶是屈身隨世的小吏。第三階段，從四十二歲進入史館修史，深受史館不合理制度的限制，才情不得發揮，加上他自己個性孤傲耿介，不肯曲媚流俗，與監督貴臣的意見格格不入等因素，四十五歲重修《則天實錄》時，終於觸發知幾撰寫《史通》的動機。⑲知幾發憤著書情形頗似太史公因李陵禍而撰寫《史記》，故《史通》定名一取史館辨彰學術的用意，另外則取司馬遷之後有「史通子」之稱。第四階段，知幾入史館前後所結識的朋友給予鼓勵，是激發並且支持知幾完成《史通》的主因。第五階段，知幾與諸好友崇實的主張，是六朝以後對於綺靡文風的反動。由於社會思潮的轉變，史學上先有初唐史家改革史書撰述的文體，繼有知幾撰寫《史通》；文學上陳子昂提出興寄、風骨說，乃至中唐的古文運動等，都是崇實思想的反映。

【附註】

① 劉氏家於彭城，在西漢末葉，曾孫茂始徙居叢亭里。參見傅振倫《唐劉子玄先生知幾年譜》，頁三〇—三一。

② 知幾避帝諱改名，時在睿宗景雲元年。見前揭書所考，頁一二五—一二七。

③ 另說劉氏爲帝堯後，彭城諸劉出於楚元王交。知幾推論不盡同時人，雖招流俗所譏，然學者服其該博。《唐會要》，卷三十六「氏族」條，《舊唐書・劉子玄傳》，卷一〇二，《新唐書・劉子玄傳》，卷一三二，均載此事。

④ 《文苑英華》，卷九四四，誌十，職官六。（四庫本，冊一三四二，頁三二二）又收在《全唐文》，卷五二〇，冊三，頁二三七五中。

⑤ 《文苑英華》，卷九〇〇，碑五七，職官八。（四庫本，冊一三四一，頁七五六）又收在《全唐文》，卷二六四，冊二，頁一二〇二中。

⑥ 見《舊唐書》，卷一九〇上，及《新唐書》，卷二〇一上。

⑦ 見《舊唐書・文苑列傳上・劉胤之傳》。

⑧ 同註七。《新唐書・文藝列傳上・劉延祐傳》略同。

⑨ 同註七。

⑩ 見《新唐書・文藝列傳上・劉延祐傳》。

⑪ 見《史通通釋》〈內篇・自敘第三十六〉，頁二八八。以下正文中凡引《史通》各篇，略去書名，亦不加註頁數。

⑫ 見《舊唐書・劉子玄傳》。

⑬ 同註一一。

⑭ 六子事蹟附見於《舊唐書・劉子玄傳》及《新唐書・劉子玄傳》。

⑮ 見《舊唐書・杜佑傳》，卷一四七。《新唐書・杜佑傳》，卷一六六。

⑯ 中國史學史上，家學傳統在漢唐史學中是一個特色。尤其隋唐之時，父子志業相傳的現象甚爲普遍。如：姚察、姚思廉父子相繼編撰了《梁書》《陳書》，李德林、李百藥父子相承撰成《北齊書》，又李延壽《南史》《北史》則是在其父李大師奠定的基礎完成的。詳參瞿林東〈試論漢唐史學中的家學傳統〉一文。

⑰ 知幾任右補闕，張振珮據北京圖書館藏《學士珠英集》敦煌殘卷照片中所存知幾詩三首詩題「右補闕」補入年譜，《史通箋注》下冊，頁七三二—七三三。而任定王府倉曹，俱見《新、舊唐書・徐堅傳》。

⑱ 見《舊唐書・徐堅傳》，卷一百二，頁三一七五。

⑲ 參見張榮芳〈唐代史館的組織與演變—兼述起居郎、舍人〉一文。

⑳ 唐承隋制，修注由隸屬於內史省（即中書省）的起居舍人負責。太宗貞觀二年（三二八年）舍人移隸門下省，官稱改爲起居郎，此即左史，而後形成左史院。高宗以後，又於中書省復置起居舍人，此即右史，品秩編制職掌同於起居郎。《新唐書・百官志》卷四十七中書省條下云：「起居舍人，從六品上，掌脩記言之史，錄制誥德音，如記事之制，季終以授國史。」至武后稱制，起居郎形同虛設，已無法預聞機要。參見雷家驥先生〈唐前期國史官修體制的演變—兼論館院

學派的史學批評及其影響〉一文。

㉑ 武后光宅元年（西元六八四年）改中書省曰鳳閣。

㉒ 見《史通通釋・忤時》，頁五八九。

㉓ 見《新、舊唐書》知幾本傳。

㉔ 見傅振倫《唐劉子玄先生知幾年譜》，頁一五九—一六四，合撰僅七種，獨撰僅五種，其中《太上皇實錄》及《上皇實錄》又據傅氏〈史通版本源流考〉一文而補。

㉕ 內篇之末三篇有目無文，王應麟《玉海》謂尚有〈文質〉〈褒貶〉兩目亡。關於〈體統〉〈紕繆〉〈弛張〉三篇有目無文，頗多異說。金毓黻《中國史學史》第八章說本無此三篇，是編者的錯置。（頁二二一）張蘊華明蜀刻本史通初校記據〈雜說下〉篇之文，推證此三篇僅有條記，而未成書。程千帆駁金氏、張氏之謬，認爲三篇本有其書，後人以其亡佚，遂移其篇題置於內篇之尾，與清浦起龍《史通通釋》的按語（頁二九九—三〇〇）的說法相同。（見《史通箋記》，頁一八八）莊萬壽認爲此三篇是知幾因恐立論激烈，影響時人，而自己抽掉的，所以到了北宋便無此三篇。（見中國學術年刊第九期〈史通著錄版本源流考〉，頁七三）。

按：程氏說法可信，至於亡佚原因已不可考。知幾不願苟同流俗，憤而撰述《史通》，書中「多識往哲，喜述前非」，知幾已自知「獲罪於時」。尤其〈忤時〉篇直黜史館時弊，〈疑古〉〈惑經〉兩篇直陳聖人經典錯謬，知幾尙且不懼，以知幾耿直個性推測，當無抽換立論激烈的篇章，莊氏所推，未得其實。其次，從篇題上來看，〈體統〉〈紕繆〉〈弛張〉三篇雖亡，書中餘篇必有謀合處。如去此三篇，則全書四十九篇，猶《文心雕龍》篇數，正合易經大衍之數，是否三篇立論與他篇多有重複，知幾本人或者後人抽掉以致亡佚也未可知。汪之昌《青學齋集》卷三十二曾補此三篇，見程千帆《史通箋記》所錄，頁一八九—一九三。

㉖ 見《文史通義・內篇四・說林》，頁一二五。

㉗ 據毛漢光統計，全唐統治階層中，士族占百分之六十六點二，小姓占百分之十二點三，寒素占百分之二十一點五。另一項統計：科舉出身者，百分之六十九是士族，百分之十三是小姓，百分之十八是寒素。見毛氏著《唐代統治階層社會變動》。

㉘ 參見毛漢光〈唐代大士族的進士第〉一文。

㉙ 參見張榮芳〈唐代史官入仕途徑、地域與交游之分析〉一文。

㉚ 參見《舊唐書・文苑列傳上・劉胤之傳》，卷一百九十上，頁四九九四。

㉛ 黃叔琳《史通訓詁補》序，收入《史通通釋》別本序三首，頁二—三。

㉜ 參見錢穆《中國史學名著》第一冊，頁一五三—一六四。

㉝ 參見《新唐書・選舉志上》卷四十四，頁一一六〇。

㉞ 參見《唐會要》卷七十七，論經義條下，頁一四〇五—一四〇九。第一次武后長安三年，為王元感《尚書糾繆》《春秋振滯》《禮記繩愆》等書申辯。第二次玄宗開元七年，議《孝經》鄭氏學非康成注，當以古文為正，《易》無子夏傳，《老子》書無河上公注，請存王弼學，與宰相宋璟，史家司馬貞辯論於朝廷。

㉟ 語見許冠三《劉知幾的實錄史學》，頁一七—一八。許氏書中並有專節舉出知幾辯證的實例，見「三：實錄義例上：史

料學」，頁八三—九二。

㊱ 語見逯耀東〈史通疑古惑經篇形成的背景〉一文，頁六九。

㊲ 毛漢光分爲第一大類科擧類，包括進士、明經、制科；第二大類薦辟類，包括薦擧、上書、辟徵、吏幹、方伎、佐命、招降；第三類蔭緣類，包括蔭、襲爵、父死王事、功授子、宰相子、承軍功、賜、外戚；第四大類機緣類，包括宦官、佞倖；第五大類軍功類等共五大類二十一小類。參見《唐代統治階層社會變動》，頁二三九。

㊳ 參見《新唐書·選擧志上》，卷四十四，頁一一五九—一一七〇。科擧的種類和科目很多，大致分爲生徒、鄉貢、制擧三途。由學館者曰生徒，中央官學凡設六學、二館；由州縣者曰鄉貢，是地方學，其下分設秀才、明經、進士等十二科，明經又有五經、三經、二經等七種之別。由天子自詔者曰制擧。鄉貢爲歲擧之常選，其中以進士、明經、秀才三者爲主，以詩賦取者曰進士，以經義取者曰明經，秀才以其文理通粗分其上下，故云科擧普遍造成通經尙文的風氣。

按：一般人的印象都以爲唐人以詩賦取進士，據簡錦松、簡恩定兩人所考，詩賦取士當在中唐以後，參見《國文天地》第五十五、五十八期。

㊴ 見第一節「仕履」。

㊵ 錄自焦竑《焦氏筆乘》卷三，「史通所載史目」條。（叢書集成新編，册八八，頁二二五）焦氏據粵雅堂叢書本統計結果，《史通》引書有一百四十六種，此篇文字爲民國以前開列《史通》引書的唯一書單。民國以來針對《史通》引用古籍作全盤考察的研究並不多。據筆者所知，張三夕吸收前賢校勘、平議、箋記的成果，歸納《史通》引用文獻的次數和文字，並詳加考證，目前僅發表先秦部份。（見《批判史學的批判—劉知幾及其史通研究》下卷「史通引用文獻考證」，

頁一六五—三三九）另有王春南據南京圖書館抄本，統計《史通》引書共有三百七十六種，考證文字約有二十餘萬字，他認爲了解《史通》引書情形，可辨知古籍眞僞、存佚，可補正舊志闕誤，提供輯佚的資料，其考證結果如下：㈠《史通》引書凡三七六種。㈡三七六種引書中，《史通》作了或詳或略的評論，有二百六十二種，占全部引書數百分之六十九點七。㈢引書中現存或大部分尙存的共有一一二種，占全部引書數百分之二十九點八；已亡佚的共二六四種，占全部引書數百分之七十點二。㈣已佚之書，現有輯本或尙可見殘文的共一二九種，占所有佚書數百分之四十八點八。（見〈史通徵引古籍及其存佚〉，頁二〇六—二〇八）

㊶ 同前，「史通」條。（叢書集成新編，册八八，頁二二五）

㊷ 見《史通通釋・別本序三首》，頁一。

㊸ 見四庫本《史通》書前提要，《四庫全書》册六八五，頁二—三。

㊹ 見錢大昕《十駕齋養新錄》，卷十三「史通」條，頁三〇三。

㊺ 見《舊唐書》卷一〇二，頁三一六八。

㊻ 以上所引〈思愼賦〉序文，係採洪業（煨蓮）所校訂標點。見洪氏〈韋弦、愼所好二賦非劉知幾所作辨〉一文。

㊼ 見《陸士衡集》，卷一，頁三一九。又見收《晉書・陸機傳》，卷五四，頁一四七五。《全晉文》，卷九六，頁四。

㊽ 《新唐書・劉子玄傳》亦載此事，但與《舊唐書》略有不同，此語出自《新唐書》，卷一三二，頁四五二〇。

㊾ 見《舊唐書・蘇味道傳》，卷九十四，頁二九九一。

㊿ 見《舊唐書・楊再思傳》，卷九十，頁二九一八。

㊿見《舊唐書・韋巨源傳》，卷九十二，頁二九六四。

52 洪煨蓮在〈韋弦、愼所好二賦非劉知幾所作辨〉一文中注裏提到，倫敦大英博物館藏《珠英學士集》敦煌殘卷載有知幾詩三首，則北京圖書館藏係攝自大英博物館。三首詩見於張振珮先生《史通箋注》下册附錄一，頁七五三—七五四。

53 唐人重京官、輕外官的觀念，可參見《唐會要》卷六十八，「刺史上」條下所載，見一一九八—一二〇〇。如長安四年三月，李嶠云：「竊見朝廷物議，莫不重內官輕外職。每除牧伯，皆再三披訴，比來所遣外任，多是貶累之人。」神龍元年正月，趙冬曦云：「京職之不稱者，乃左爲外任。大邑之負累者，乃降爲小邑。近官之不能者，乃遷爲遠官。」景龍二年，兵部尚書韋嗣立上疏云：「京官有犯罪聲望下者，方遣牧州。」景雲元年，諫議大夫寗原悌上疏云：「然而世所重於京都，時見輕於州縣者何也。」中國歷代的官僚體系，重中央、輕地方是一個普遍的現象。

54 詳見第一節「仕履」。

55 見《舊唐書・徐堅傳》，卷一〇二，頁三一七五。武后修《三教珠英》，所取文士辭，皆天下選。

56 據張振珮所考〈劉知幾學行編年表〉，《史通箋注》下册，頁七三二—七三三。武后大足元年十月，改元爲長安，大足元年即長安元年。

57 洪煨蓮〈韋弦、愼所好二賦非劉知幾所作辨〉一文，考二賦非知幾所作，理由有六：㈠二賦在《文苑英華》原本闕名，疑《全唐文》轉載時補名劉知幾；㈡二賦不避廟諱，撰時早於〈思愼賦〉，既出於一人之手，篇幅編帙失次；㈢二賦與〈思愼賦〉相比，氣味不同；㈣不避家諱；㈤京兆試距知幾射策登朝時甚遠；㈥知幾早年應試，不至於用八脚韻。張振珮先生之考辨爲洪氏所考提出反證說明，此採張氏之說，以〈韋弦〉〈愼所好〉二賦，仍爲知幾所作。參見《史通箋注

》下冊，附錄一，頁七五一—七五二。

㊽ 參見張榮芳〈唐代史館的組織與演變—兼述起居郎、舍人〉一文。

㊾ 詳見第一節「仕履」。

㊿ 見《史通通釋・古今正史》云：「長安中，余與正諫大夫朱敬則、司封郎中徐堅、左拾遺吳兢奉詔更撰《唐書》。」，頁三七四。

61 參見張榮〈唐代官僚體系中的史官〉一文，頁二七三—二七四。

62 參見雷家〈唐前期國史官修體制的演變—兼論館院學派的史學批評及其影響〉一文。

63 見《唐會要》卷六十三「修史官」條下，頁一一〇〇。

64 見《唐會要》卷六十三「修國史」條下，頁一〇九四。

65 見《唐會要》卷六十三「修史官」條下，頁一一〇〇—一一〇一。

66 按朱敬則薦用人才，不自拜相始。如武則天下勅重修《唐史》時，與魏元忠二人皆器重吳兢史才，共薦兢爲直史館。（見《舊唐書》卷一〇二及《新唐書》卷一三二吳兢傳）又曾薦用悲懷古，此皆與知幾是道術相知之好友。（見《舊唐書》卷九〇朱敬則傳）

67 見林時民《劉知幾史通之研究》，頁二五。

68 見逯耀東〈史通疑古、惑經篇形成的背景〉一文，頁六六。

69 該文收入《中國史學史論集》(二)，頁五八—一一二。

⑩ 同註六二。

⑪ 見《唐會要》卷六十四「史館雜錄」條，頁一一〇七，及《新唐書·劉知幾傳》。

⑫ 詳參逯耀東〈從隋書經籍志史部的形成論魏晉史學轉變的歷程〉、〈裴松之與魏晉史學評論〉、〈經史分途與史學評論的萌芽〉、〈史通疑古、惑經篇形成的背景〉諸文所論。

⑬ 參見龔鵬程〈史通析微〉一文，頁四三—四九。

⑭ 參見雷家驥〈兩漢至唐初的歷史觀念與意識㈠—兼論其與史學成立的關係〉，頁一七—二二。

⑮ 見《史通通釋·自敍》，頁二九一。

⑯ 見《文心雕龍·序志》。

⑰ 參見牟潤孫〈唐初南北學人論學之異趣及其影響〉一文。

⑱ 參見羅宗強《隋唐五代文學思想史》第二章初唐（高祖武德初至睿宗景雲中）文學思想，頁八一。本資料蒙黃師景進贈閱，謹此誌謝。

⑲ 有關本章《史通》撰述背景的研究，喬治忠〈史通編撰問題辯正〉，稻葉一郎〈史通の成立—その文獻學的考察〉二文，討論到《史通》許多編寫問題：如編寫動機、修稿與否、始撰年代、內外篇編寫先後等，可以相佐愚見。稻葉氏文，蒙林學長時民寄贈，謹此誌謝。

第三章　史通論歷史敘述的內容

第一節　求實錄

早在漢代便有「實錄」一詞，劉向、揚雄、班彪、班固皆稱太史公司馬遷有良史之材，並以「實錄」一詞稱許《史記》之不虛美、不隱惡。唯史家「不虛美、不隱惡」的書法，卻是先秦以來史家已有之優良傳統，如晉太史董狐書「趙盾弑其君」，與齊太史兄弟及南史氏書「崔杼弑其君」等，所表現的不畏強權的盡職精神，皆是顯例。

知幾進入史館修史以後，有感於史官不能申張正義、據實直書，因而撰述《史通》，表達其史學理念。近來學者都已指出《史通》的實錄要旨，並以實錄爲《史通》的理論核心。如許冠三說：

史通四十九篇，實無一篇不以「明鏡照物」之直書爲依歸；亦無一篇不以「據事直書」之實錄爲準繩。全書八萬九千字，亦無一字不在講究「善惡畢彰，眞僞盡露」。①

雷家驥說：

知幾透過批評建立理論，結束了史公以降的中古史學階段，下啓近古階段的發展，其諸種史學思想與理論，皆環繞「實錄」觀念以爲核心，進而層層開展者。②

觀察《史通》各篇可發現「眞」「僞」、「虛」「實」等對立字經常相伴出現，「實錄」一詞也屢見不鮮。據筆者統計，「實錄」一詞出現在〈採撰〉〈邑里〉〈敍事〉〈直書〉〈曲筆〉〈鑒識〉〈探賾〉〈摸擬〉〈雜述〉〈史官建置〉〈古今正史〉〈惑經〉〈申左〉〈雜說上〉〈雜說中〉〈雜說下〉〈暗惑〉等十七篇，共二十九處。③這二十八處除〈古今正史〉篇用作專有名詞，特指《則天實錄》外，其餘都可視作《史通》中一個具有特殊意義的慣用詞。實錄一詞大量出現，究竟有何意義，知幾實錄思想的淵源及內涵如何，皆有必要作進一步的解釋。茲就《史通》有關實錄的言論分析如下：

壹、實錄思想的淵源

上古時代最有名的良史，首推晉董狐之筆和齊太史之簡。《史通》中知幾便特立〈直書〉一篇表彰史家這種盡職的精神：

夫爲於可爲之時則從，爲於不可爲之時則凶。如董狐之書法不隱，趙盾之爲法受屈，彼我無忤，行之不疑，然後能成其良直，擅名今古。至若齊史之書崔弒，馬遷之述漢非，韋昭仗正於吳朝，崔浩犯諱於魏國，或身膏斧鉞，取笑當時；或書塡坑窖，無聞後代。夫世事如此，而責史臣不能申其強項之風，勵其匪躬之節，蓋亦難矣。是以張儼發憤，私存《嘿記》之文；孫盛不平，竊撰遼東之本。以茲避禍，幸獲兩全。足以驗世途之多險，知實錄之難遇耳。

這裏指出史家能否完成實錄，與時勢的可爲及不可爲有關。董狐有趙盾成全，是爲於可爲之時。齊太史、司馬遷、韋昭、崔浩等所書，因直忤當道而招禍，是爲於不可爲之時。史家爲了避禍，往往不能據事直書，此正是「實錄」難求的無奈。

對於董狐、南史不避強權，寧爲蘭摧玉折不作瓦礫長存的氣節，知幾由衷讚佩，不僅推崇他們是史家之首，更處處以他們爲史家的楷模，如：

> 史之爲務，厥途有三焉。何則？彰善貶惡，不避強禦，若晉之董狐，齊之南史，此其上也。高才博學，編次勒成，鬱爲不朽，若魯之丘明，漢之子長，此其次也。名重一時，若周之史佚，楚之倚相，此其下也。茍三者並闕，復何爲者哉？（〈辨職〉篇）

> 夫爲史之道，其流有二。何者？書事記言，出自當時之簡；勒成刪定，歸於後來之筆。然則當時草創者，資乎博聞實錄，若董狐、南史是也；後來經始者，貴乎儁識通才，若班固、陳壽是也。必論其事業，前後不同。然相須而成，其歸一揆。（〈史官建置〉篇）

> 前燕有起居注，杜輔全錄以爲《燕紀》。後燕建興元年，董統受詔草創後書，著本紀幷佐命功臣、王公列傳，合三十卷。慕容垂稱其敘事富贍，足成一家之言。但褒述過美，有慚董、史之直。其後申秀、范亨各取前後二燕合成一史。（〈古今正史〉篇）

> 世稱近史編語，唯《周》多美辭。夫以博採古文而聚成今說，是則俗之所傳有《雞九錫》、《酒孝經》、《房中志》、《醉鄉記》，或師範五經，或規模三史，雖文皆雅正，而事悉虛無，

豈可便謂南、董之才，宜居班、馬之職也？（〈雜說下〉篇「諸史」條）

上面諸例已略反映知幾的實錄思想，與董狐、南史等史官的淵源甚深。但是所謂「實錄」並非僅止於記錄事實經過而已，更重要的是要追究政治倫理的責任。以下透過董狐、南史兩事件疏解《史通》中實錄的意義：

貳、實錄的意義

一、書法不隱，彰善懲惡

晉靈公十四年（周匡王六年，魯宣公二年，西元前六〇七年），晉國兵變，趙穿殺靈公，趙盾迎立成公。太史董狐書云：「趙盾弒其君。」孔子後來評論此事說：「董狐，古之良史也，書法不隱。趙宣子（即趙盾），古之良大夫，為法受惡。惜也！越竟乃免。」④

就當時的董狐來說，他身為史官，對此大事不能不書，不書的話，不論是為了迴避或是不知，在結果上皆可判為「失官失職」。因為記載有漏、書法有隱，是史官一大憾事，這是良史所共有的認識，這種共識在孔子之前已經普遍存在，是由職守而產生的一種職業道德意識，是出於史官的直覺認取。

孔子稱讚董狐為「良史」的重要依據在其「書法不隱」，孔子嘉許他表現了史家的職業道德——今日我們所謂的史德，主要不是從求實傳真的立場，而是從政治倫理的立場出發。董狐判斷這件兵變弒君案，本不是從事情的發生歷程出發，故不書「趙穿弒其君」，就此而言，董狐實有記載失實之嫌，孔子知道董狐記載此事件，並非就事論事的記錄，而是追究政治倫理的責任，故大讚董狐的同時，也對趙盾惋惜贊歎，並許之爲「良大夫」。趙盾之所以爲「良」，孔子乃指他對董狐的態度，本來他對董狐的行爲可以懲處甚至逼害，而卻不如此處理，表現了一種「理虧」而欲「克己復禮」的自覺。在政治上，趙盾爲執政之卿，有政治責任；在倫理上，君被弒而臣無所舉措，不合君臣倫理。董狐執此而書，趙盾亦爲此甘願承罪，所以兩人皆稱爲「良」。

史學在先秦由官方掌理，是王官之學。官學的特色有二：第一，因爲官學是協理治理國家的學問，所以具有經世致用的功能。第二，國家治理的對象是環境與人事，尤以人事爲主，因而史學是天人之際的學問，尤具人文精神。先秦史家對此史學兩特性似已有普遍的認識，所以董狐乃應用史著，欲透過人文教化以達經世致用。而孔子特別評論此事的目的，乃是爲了發揚史學的經世意識，尤其政治倫理方面的經世意識。史學在當時不僅是一門瞭解過往人事的學問，更具有鑒誡教化的使命，這是古代史學的共識。⑤

知幾在《史通》裏也強調歷史敘述具有鑒誡教化的作用，顯然是延續董狐、孔子的理念而來，如〈直書〉篇說：

> 況史之爲務，申以勸誡，樹之風聲。其有賊臣逆子，淫君亂主，茍直書其事，不掩其瑕，則穢迹彰於一朝，惡名被於千載。

〈曲筆〉篇說：

蓋霜雪交下，始見貞松之操；國家喪亂，方驗忠臣之節。若漢末之董承、耿紀，晉初之諸葛、毋丘，齊興而有劉秉、袁粲，周滅而有王謙、尉迥，斯皆破家殉國，視死猶生。而歷代諸史，皆書之曰逆，將何以激揚名教，以勸事君者乎！古之書事也，令賊臣逆子懼；今之書事也，使忠臣義士羞。若使南、董有靈，必切齒於九泉之下矣。

若乃《春秋》成而逆子懼，南史至而賊臣書，其記事載言也則如彼，其勸善懲惡也又如此。由斯而言，則史之爲用，其利甚博，乃生人之急務，爲國家之要道。有國有家者，其可缺之哉！故備陳其事，編之於後。

〈史官建置〉篇說：

歷史敍述既以經世致用爲任務，則內容重在「激濁揚清」「彰善懲惡」的敍述上。因此知幾所謂的實錄，主要是指歷史敍述能樹立人倫教化的典範，〈曲筆〉篇說：

蓋史之爲用也，記功司過，彰善癉惡，得失一朝，榮辱千載。苟違斯法，豈曰能官。但古來唯聞以直筆見誅，不聞以曲詞獲罪。是以隱侯《宋書》多妄，蕭武知而勿尤；伯起《魏史》不平，齊宣覽而無譴。故令史臣得愛憎由己，高下在心，進不憚於公憲，退無愧於私室，欲求實錄，不亦難乎？嗚呼！此亦有國家者所宜懲革也。

以此觀點衡量諸史，知幾推許《左傳》爲實錄，使因左丘明繼承了孔子「春秋之義」，使得「善惡畢彰，眞僞盡露」，達到「勸戒」的作用。〈申左〉篇說：

> 至於實錄，付之丘明，用使善惡畢彰，眞僞盡露。向使孔經獨用，《左傳》不作，則當代行事，安得而詳者哉？蓋語曰：仲尼修《春秋》，逆臣賊子懼。又曰：《春秋》之義也，欲蓋而彰，求名而亡，善人勸焉，淫人懼焉。尋《左傳》所錄，無愧斯言。此則傳之與經，其猶一體，廢一不可，相須而成，如謂不然，則何者稱爲勸戒者哉？

知幾曾在〈自敍〉篇表示《史通》研究的對象：「雖以史爲主，而餘波所及，上窮王道，下掞人倫，總括萬殊，包吞千有。」其所表達的涵義：「有與奪焉，有褒貶焉，有鑑誡焉，有諷刺焉。」因爲知幾從「王道人倫」的教化觀點出發，故《史通》批評的對象，自然會涉及史學以外之學，並以歷史敍述「褒貶」「鑑誡」之義要求，如〈載文〉篇說：

> 夫觀乎人文，以化成天下；觀乎國風，以察興亡。是知文之爲用，遠矣大矣。若乃宣、僖善政，其美載於周詩；懷、襄不道，其惡存乎楚賦。讀者不以吉甫、奚斯爲諂，屈平、宋玉爲謗者，何也？蓋不虛美，不隱惡故也。是則文之將史，其流一焉，固可以方駕南、董，俱稱良直者矣。

〈雜述〉篇說：

> 雜記者，若論神仙之道，則服食鍊氣，可以益壽延年；語魑魅之途，則福善禍淫，可以懲惡勸善，斯則可矣。及謬者爲之，則苟談怪異，務述妖邪，求諸弘益，其義無取。

知幾不僅認爲歷史敍述的內容要能彰善懲惡，即使文學創作及雜記之類，都以其勸誡教化的內容來論定其價值，這都是從他的「實錄」觀發展出來的結果。

二、據事直書，善惡必書

齊莊公六年（周靈王二十四年，魯襄公二十五年，西元前五四八年），齊太史兄弟三人先後爲直書「崔杼弑其君」的事情而殉職，南史氏聽到齊太史兄弟死了，深憂史實不得記載，於是執簡以往，途中聞事實終於被記錄下來，於是才折返。⑤

齊太史兄弟及南史氏的行爲，充分表現了史官盡職的精神，較董狐實有過之而無不及。這種盡職的精神背後蘊涵了若干意義：

第一，盡忠職守是當時史官的共識，史官的責任在記錄事實，爲了記錄事實，對歷史文化負責，史官這種職業很容易招來政治的壓迫，如齊太史三兄弟被崔杼所殺。假設齊太史兄弟當時能在不曲筆的情形下，稍作婉筆或隱筆，也許遭遇不至於如此慘烈。如孔子寫《春秋》便有許多「爲尊者諱」「爲親者諱」的隱筆，隱筆可能見容於當道，却無慚於「良史」之職。

第二，齊太史兄弟和南史氏都是爲保存歷史敍述的信實，而勇於直書。史家有此意識及行爲——希望歷史事件能夠如實的記錄與保存，其所敍述的歷史才具有可信度，後人透過史家的記錄，才能知道過去，了解事情的眞相。

第三，此事件揭示了一個重要觀念，那就是史家必須有相當的獨立性和自主性，始能傳述史實、保存眞相。歷史爲過去實際發生過的事實，將過去實際發生過的事情，恰如其實地記錄下來，是史家最重要的責任。史學有別於經學和文學之處，在求客觀眞實。

孔子盛贊董狐，比較強調經世意義，但是過分強調經世致用的意識，紀實方面難免就要被忽視，甚至有所犧牲。董狐的書法不隱，「不隱」未必就是「直」，齊太史雖未得孔子褒揚，但卻是紀實精神的眞正表現，知幾所大力推許的「直書」，乃鼓勵史家勇於紀實，所以比較接近齊太史的理念。知幾早已察覺孔子所謂的「書法不隱」，未必等於「紀實」，如〈惑經〉篇中虛美之五即論此事：

又案趙穿殺君而稱宣子之弑，江乙亡布而稱令尹所盜。此則春秋之世，有識之士莫不微婉其辭，隱晦其說。斯蓋當時之恆事，習俗所常行。而班固云：「仲尼歿而微言絕。」觀微言之作，豈獨宣父者邪？其虛美五矣。

因爲知幾認爲「書法不隱」就是「據事直書」。他的觀念是：史家若能正直不曲地盡忠職守，就能恰如其實地記載史事；史家應「據事直書」，也就是要「書法不隱」，而「書法不隱」也就是要做到「不虛美，不隱惡」。如〈曲筆〉篇說：

夫史之曲筆誣書，不過一二，語其罪負，爲失已多。而魏收雜以寓言，殆將過半，固以倉頡已降，罕見其流，而李氏《齊書》稱爲實錄者，何也？蓋以重規亡考未達，伯起以公輔相加，字出大名，事同元歎，旣無德不報，故虛美相酬。然必謂昭公知禮，吾不信也。語曰：「明其爲賊，敵乃可服。」如王劭之抗詞不撓，可以方駕古人。而魏收持論激揚，稱其有慚正直。夫不彰其罪，而輕肆其誅，此所謂兵起無名，難爲制勝者。尋此論之作，蓋由君懋書法不隱，取咎當時。或有假手史臣，以復私門之恥，不然，何惡直醜正，盜憎主人之甚乎！

「曲筆」是相對於「直書」而言。知幾說魏收《魏書》持論有慚正直，不能彰善懲惡，而李百藥《北齊書》竟虛美《魏書》，曲稱爲實錄。而王劭《齊志》書法不隱，「直書」其事，卻取咎當時。這裏便指出「書法不隱」就是「據事直書」。

又〈古今正史〉篇說：

> 元魏史，道武時，始令鄧淵著國記，唯爲十卷，而條例未成。暨乎明元，廢而不述。神廌二年，又詔集諸文士崔浩、浩弟覽、高讜、鄧穎、晁繼、范亨、黃輔等撰國書，爲三十卷。又特命浩總監史任，務從實錄。復以中書郎高允、散騎侍郎張偉並參著作，續成前史書，敍述國事，無隱所惡，而刊石寫之，以示行路。浩坐此夷三族，同作死者百二十八人。

這裏提到「敍述國事，無隱所惡」的書法，即是所謂的「實錄」也就是說史家書法不隱，敍述國事才可能從實。

在大部分情況下「書法不隱」往往就是「據事直書」，兩者大致相通，因此知幾常混同並談。事實上對於孔子是否做到「書法不隱」，知幾是持懷疑態度的，如〈疑古〉篇說：

> 又案魯史之有《春秋》也，外爲賢者，內爲本國，事靡洪纖，動皆隱諱。斯乃周公之格言。然何必《春秋》，在於六經，亦皆如此。故觀夫子之刊《書》也，夏桀讓湯，武王斬紂，其事甚著，而芟夷不存。觀夫子之定禮也，隱閔非命，惡視不終，而奮筆昌言，云「魯無篡弑」。觀夫子之刪《詩》也，凡諸〈國風〉，皆有怨刺，在於魯國，獨無其章。觀夫子之《論語》也，

君娶於吳，是謂同姓，而司敗發問，對以「知禮」。斯驗世人之飾智矜愚，愛憎由己者多矣。

從這個角度看來，可推論知幾的「實錄」，比較強調齊太史「據事直書」的「紀實」原則，意即根據事實直接記錄。

最後我們來看看，知幾對「實錄」所下的定義，〈惑經〉篇說：

蓋明鏡之照物也，妍媸必露，不以毛嬙之面或有疵瑕，而寢其鑒也；虛空之傳響也，清濁必聞，不以緜駒之歌時有誤曲，而輟其應也。夫史官執簡，宜類於斯。苟愛而知其醜，憎而知其善，善惡必書，斯爲實錄。

知幾以「明鏡照物」「虛空傳響」比喻「實錄」，是強調歷史敘述的寫實性；「苟愛而知其醜，憎而知其善」說明史家敘述時，必須秉持公平正直的態度，根據事實加以記錄，不應因個人之愛憎而隱蔽事實，甚或歪曲事實。如此客觀寫實的態度用在歷史敘述上，知幾則稱之爲「直筆」，如〈雜說下〉篇「雜識」條下說：

夫所謂直筆者，不掩惡，不虛美，書之有益於褒貶，不書無損於勸誡。但舉其宏綱，存其大體而已。非謂絲毫必錄，瑣細無遺者也。如宋孝王、王劭之徒，其所記也，喜論人帷薄不修，言貌鄙事，訐以爲直，吾無取焉。

「直筆」即〈直書〉篇所說的「直書」，「不虛美，不隱惡」即「愛而知其醜，憎而知其善」的意思。知幾一方面說「善惡必書，斯爲實錄」，另一方面又要求「書之有益於褒貶，不書無損於勸誡」，可見知幾所謂的「實錄」，是希望透過客觀的反映現實、記錄事實，以達到彰善懲惡、維護風教的作用。

叄、小　結

綜上所述，知幾所謂的「實錄」，包括「紀實求眞」和「勸善懲惡」兩層涵義。也就是說，求眞與求善是結合在一起的。由此可見在劉知幾的觀念中，歷史事實本身即具有強烈的鑑戒作用，史家的職責固在記錄事實，而其目標則在提供鑑戒的參考。

十九世紀德國史家蘭克（Leopold von Ronke，1795-1886）所強調的「暴陳往事的眞相」（To show what actually happened），與二十世紀英國史家浦朗穆（J.H. Plumb，1911-）所強調的「窺探往事的眞相」（To try and understand what happened），若依中國的術語來說就是「紀實」和「求眞」，二者凝合起來即西方近代強調客觀主義的批判史學。⑦西方的「紀實」和「求眞」，不在乎歷史敍述是否應用在善惡褒貶上，即不從經世致用的功能着眼，他們只想將歷史「恰如其實」的記錄下來，視歷史爲客觀的瞭解。但是知幾的「實錄」，要求歷史敍述「恰如其實」，是設存道德判斷於「紀實」和「求眞」之先的。

據此我們可推《史通》中「實錄」一詞大量出現的意義有三：第一，知幾史學是以「實錄」思想爲核心而層層開展的，因此「求實錄」是其歷史敍述理論的中心。第二，知幾力求歷史敍述能從「實錄」，又特別彰明「直書」與「實錄」的關係，乃針對唐初史館修史種種弊端已導致嚴重的史學危機，而欲力挽狂瀾的一種表現。第三，歷史敍述「徵實」的傾向，象徵史學意識的自覺，已脫離經學附庸而獨立門戶。

第二節　寓褒貶

運用褒貶來勸善懲惡，是中國傳統史學的一大特色。⑧史學上重視褒貶，自孔子借董狐而發揚成「褒貶之義」著之於《春秋》後，隨著孟子而更加確立：「孔子成《春秋》，而亂臣賊子懼」，司馬遷《史記》中又有「太史公曰」大發《春秋》「褒貶之義」，於是在歷史敍述中寓褒貶，遂成爲史家的共識，而我國日後史籍撰述不絕，此亦重要因素之一。劉知幾繼承了這個傳統，也相當重視褒貶，《史通》並有具體的討論，值得注意。

壹、學者對褒貶的爭議

褒貶是一種倫理和道德判斷。西方學者一般認爲中國傳統史學充滿著道德主張，外國學者觀察中國正史，發現列傳中的個人只是社會關係中的一環，因此內容不外乎個人如何扮演五倫加諸於他的角色要求，尤其是官員的角色。列傳裏個人的生活是零碎及軼事式的，脫離不了倫理的觀點以及個人在其間的命運，並指出官修正史一方面承續史學傳統，一方面爲治國者的參考，在纂修過程中經常出現兩種主要的矛盾：據事直書還是爲某些人隱諱？厲行褒貶還是客觀求眞？⑨

過度的褒貶，有時會使歷史敍述失眞，李宗侗先生便說：爲了褒貶「而影響及於史迹之失眞，亦中國史學之弊也。」⑩《春秋》中許多「爲親者諱」「爲賢者諱」「爲尊者諱」「爲中國諱」「爲魯國諱」的例子，都有史實失眞之虞。究竟褒貶是否會影響歷史敍述的求眞，史家是否該用褒貶，中外學者關於這方面的討論很多，張哲郎先生綜合他們正反兩方的意見，整理如下：⑪

第一，反對道德判斷的觀點：

1.使用道德判斷會使歷史敍述失去客觀性。

2.道德標準難定，故不宜使用價値判斷。

3.史料難以齊全，故不宜使用道德判斷。

4.人類沒有絕對的自由意志，完全受制於外力，故不宜妄加道德判斷。

5.道德判斷沒有用，也沒有必要。

6.史家的判斷，避免使用道德或價値的色彩。

7.歷史敍述可以避免使用主觀的道德判斷，以達到科學式的客觀境界。

8.歷史家不是上帝，道德判斷不能完全公正，他只是個凡人，故不能做道德判斷。

第二，贊成道德判斷的觀點：

1. 歷史的功用就是鑑往知來，歷史敍述如一面鏡子，史家所作的道德判斷，可爲後人借鏡。
2. 史家解釋史料時，無法避免道德判斷。
3. 道德判斷不會損及歷史敍述的客觀性，史家從不同角度看歷史，只有越看越清楚。
4. 歷史敍述的內容包括敍事和判斷，讀者關心的是敍述的眞假，因此道德判斷仍可以客觀。
5. 道德判斷是史家的義務。
6. 歷史敍述無法避免使用具有道德判斷的字眼。
7. 史家的判斷不同於法官，他必須從歷史長河褒貶一個人的全部行爲。
8. 史家無法拋棄個人判斷，不如公開觀點和立場，以令人瞭解。
9. 歷史不同於小說的地方就是史家的判斷。
10. 人有自由意志，有能力主動參與自己的命運，所以必須負起道德責任，如此說來史家也可以做道德判斷。

以上是學者對史家是否使用褒貶的爭議，這些爭議牽涉到兩個問題：㈠褒貶的標準出於史家的倫理道德觀，㈡倫理道德判斷是否會影響歷史敍述的公正客觀。下文即根據這兩個重點整理知幾討論褒貶的情形。

貳、褒貶與倫理

司馬遷《史記・太史公自序》稱讚孔子爲了「明王道，辨人事」，在《春秋》中「別嫌疑，明是非，定猶豫，善善惡惡，賢賢賤不肖」。孔子寓褒貶於《春秋》，是假借史事來傳達人倫教化的觀點，因此褒貶的標準就是傳統的倫理道德。

知幾論褒貶，大體繼承了孔子以人倫教化爲主的標準，但並非照單全收，對於過分褒貶以致歷史敍述不符合史實的情況，做了修正和補充。《史通》論及歷史敍述的褒貶甚多，茲歸納四類如下：

(一)論「史」應有褒貶

夫人稟五常，士兼百行，邪正有別，曲直不同。若邪曲者，人之所賤，而小人之道也；正直者，人之所貴，而君子之德也。……況史之爲務，申以勸誡，樹之風聲。（〈直書〉篇）

蓋史之爲用也，記功司過，彰善癉惡，得失一朝，榮辱千載。苟違斯法，豈曰能官。（〈曲筆〉篇）

史之爲務，厥途有三焉。何則？彰善貶惡，不避強禦。若晉之董狐，齊之南史，此其上也。（〈辨職〉篇）

史者固當以好善爲主，嫉惡爲次。若司馬遷、班叔皮，史之好善者也。晉董狐、齊南史，史之嫉惡者也。（〈雜說下〉篇「雜識」條）

案：此「史」字，兼指史官及史書而言。褒貶指針對行爲或事迹做出邪正、曲直、善惡、功過的區別和判斷。

㈡論史官應有褒貶

夫人之生也，有賢不肖焉。若乃其惡可以誡世，其善可以示後，而死之日名無得而聞焉，是誰之過歟？蓋史官之責也。（〈人物〉篇）

子曰：「以貌取人，失之子羽；以言取人，失之宰我。」光武則受誤於龐萌，曹公則見欺於張邈。事列在方書，惟善與惡，昭然可見。不假許、郭之深鑒，裴、王之妙察，而作者存諸簡牘，不能使善惡區分，故曰誰之過歟？史官之責也。夫能申藻鏡，別流品，使小人君子臭味得朋，上智中庸等差有敍，則懲惡勸善，永肅將來，激濁揚清，鬱爲不朽者矣。（〈品藻〉篇）

向使世無竹帛，時闕史官，雖堯、舜之與桀、紂，伊、周之與莽、卓，夷、惠之與跖、蹻，商、冒物化。墳土未乾，則善惡不分，妍媸永滅者矣。苟史官不絕，竹帛長存，則其人已亡，杳成空寂，而其事如在，皎同星漢。用使後之學者，坐披囊篋，而神交萬古，不出戶庭，而窮覽千載，見賢而思齊，見不賢而內自省。（〈史官建置〉篇）

凡祥瑞之出，非關理亂，蓋主上所惑，臣下相欺，故德彌少而瑞彌多，政逾劣而祥逾盛。是以桓、靈受祉，比文、景而爲豐；劉、石應符，比曹、馬而益倍。而史官徵其謬說，錄彼邪言，眞僞莫分，是非無別。（〈書事〉篇）

案：史官區分善惡、是非、賢不肖等不同流品，就是褒貶，褒貶是史官的職責，史官盡職可以彰善懲惡，不能盡職則眞僞不分，人事杳然不可知曉。

㈢論史書之褒貶

蓋語曰：不作無益害有益。至如史氏所書，固當以正爲主。是以虞帝思理，夏后失御，《尚書》載其元首、禽荒之歌，鄭莊至孝，晉獻不明，《春秋》錄其大隧、狐裘之什。其理讜而切，其文簡而要，足以懲惡勸善，觀風察俗者矣。（〈載文〉篇）

況史傳爲文，淵浩廣博，學者苟不能探賾索隱，致遠鉤深，烏足以辯其利害，明其善惡。（〈鑒識〉篇）

若乃《春秋》成而逆子懼，南史至而賊臣書。其記事載言也則彼，其勸善懲惡也又如此。（〈史官建置〉篇）

孔子曰：「唯名不可以假人。」又曰：「名不正則言不順，」「必也正名乎！」是知名之折中，君子所急。況復列之篇籍，傳之不朽者邪！昔夫子修《春秋》，吳、楚稱王而仍舊曰子。此則褒貶之大體，爲前修之楷式也。馬遷撰《史記》，項羽僭盜而紀之曰王，此則眞僞莫分，爲後來所惑者也。（〈稱謂〉篇）

案：史書之寓褒貶，可使人藉以分別善惡、判斷眞僞，此以《尚書》《春秋》《史記》等史書爲例，說明褒貶的標準和作用的相互關係。

㈣論史事之褒貶

兼復土階卑室，好約者所以安人；阿房、未央，窮奢者由其敗國，此則其惡可以誡世，其善可

以勸後者也。（〈書志〉篇）

夫人識有不燭，神有不明，則眞僞莫分，邪正靡別。昔人有以髮繞炙誤其國君者，有置毒於胙誣其太子者。夫髮經炎炭，必致焚灼，毒味經時，無復殺害。而行之者僞成其事，受之者信以爲然。故使見咎一時，取怨千載。夫史傳敍事，亦多如此。其有道理難憑，欺誣可見，如古來學者，莫覺其非，蓋往往有焉。（〈暗惑〉篇）

古者二國爭盟，晉、楚並稱侯伯；七雄力戰，齊、秦俱曰帝王。其間雖勝負有殊，大小不類，未聞勢窮者即爲匹庶，力屈者乃成寇賊也。至於近古則不然，當漢氏云亡，天下鼎峙，論王道則曹逆而劉順，語國祚則魏促而吳長。但以地處函夏，人傳正朔，度長絜短，魏實居多。二方之於上國，亦猶秦繆、楚莊，與文、襄而並霸。逮作者之書事也，乃沒吳、蜀號謚，呼權、備姓名，方於魏邦，懸隔頓爾，懲惡勸善，其義安歸。（〈稱謂〉篇）

案：舉歷史事件具有鑒誡的作用，需靠史家運用褒貶，將史事記載在史書中。

綜合上述四類的褒貶可知：第一，《史通》主張歷史敍述應有褒貶，而所謂褒貶即是運用政治及倫理上的價值判斷，如善惡、賢不肖、名分、是非、邪正、曲直等。這些價值判斷都是從人倫教化的立場出發，可見知幾認爲史事本身即具有政治倫理意義，而史家的職責即在透過史事以彰顯其意義，如此才能達到鑑誡的作用。⑫第二，善惡、是非、邪正、曲直等價值判斷和眞僞的事實判斷並舉，顯示知幾將道德上的價值判斷與知識上的事實判斷合而爲一，他認爲將歷史事實的眞僞呈現出來，也就是將歷史事實的道德意義彰顯出來，兩者是不可分的。⑬

叁、襃貶與事實

由於知幾重視歷史事實的倫理意義，因此每從人倫常情來判斷史事的眞僞，如〈暗惑〉篇指《史記》載優孟象孫叔敖事之僞，便以人倫常情來衡量。《史記．滑稽列傳》說：「孫叔敖爲楚相，楚王以霸。病死，居數年，其子窮困負薪。優孟即爲孫叔敖衣冠，抵掌談語。歲餘，象孫叔敖，楚王及左右不能別也。莊王置酒，優孟爲壽，王大驚，以爲孫叔敖復生，欲以爲相。」知幾駁難說：「……如優孟之象孫叔敖也，衣冠談說，容或亂眞，眉目口鼻，如何取類？而楚王與其左右曾無疑惑者邪？……況叔敖之歿，時日已久。楚王必謂其復生也，先當詰其枯骸再肉所由，闔棺重開所以。豈有片言不接，一見無疑，遽欲加以寵榮，復其祿位！此乃類夢中行事，豈人倫所爲者哉！」

又如《晉書．阮籍傳》說：「籍至孝。母終，正與人圍碁。對者求止，籍留與決。旣而飲酒二斗，舉聲一號，吐血數升。及葬，食一蒸肫，飲二斗酒。然後臨穴，直言『窮矣！』舉聲一號，因復吐血數斗。毀瘠骨立，殆致滅性。」知幾亦加以駁難，以爲違背人倫孝道，故判此記載爲僞，他說：「夫人才雖下愚，識雖不肖，始亡天屬，必致其哀。但有苴絰未幾，悲荒遽輟，如謂本無戚容，則未之有也。況嗣宗當聖善將歿，閔凶所鍾，合門惶恐，舉族悲咤。居里巷者猶停舂相之音，在鄰伍者尙申匍匐之救，而爲其子者方對局求決，舉杯酣暢。但當此際，曾無感惻，則心同木石，志如梟獍者，安有既臨泉穴，始知摧慟者乎？求諸人情，事必不爾。」接著又以生理實際狀況來解釋《晉書》記載阮籍失實，他說：「又孝子之喪親也。朝夕孺慕，鹽酪不嘗，斯可至於癯瘠矣。如甘旨在念，則筋肉內寬；醉飽自得，則飢膚外博。況乎溺情犿酒，不改平素，雖復時一嘔慟，豈能柴毀骨立乎？蓋彼阮生者，不修名教，居喪過失，而說者遂言其無禮如彼。又以其志操本異，才識甚高，而談者遂言其至性如此。惟毀及譽，皆無取焉。」

顯然地，劉知幾認爲歷史事實不能脫離道德意義，而史官的職責即在透過歷史事實的記錄以彰顯其道德意義，因此在其歷史敍述中就不應廻避道德判斷——即所謂的「褒貶」。因爲唯有透過褒貶才能將史實的意義彰顯出來，若歷史敍述缺乏褒貶，就等於史官未能說明史事的意義，那是未盡到史官的責任的。

按杜維運的說法，歷史呈現於外者，大致分作歷史敍事和歷史解釋兩種，二者最高的境界是合冶於一爐。⑭我國傳統的史書，其實就包括這兩部分，史書所寓的「褒貶」，即是一種歷史解釋，特別是從政治及倫理的觀點來解釋人事。歷史解釋不能脫離歷史敍事而單獨闡述，同樣地，知幾認爲褒貶的道德意義，必須透過歷史事實的記錄來彰顯，兩者是合而爲一的。

當然，知幾並不贊成史官因其強烈的道德關懷以致扭曲史實，這觀點便相當接近近代史家蘭克「暴陳往事眞相」的要求。《史通》中〈疑古〉〈惑經〉兩篇，知幾針對《尚書》《論語》及《春秋》指出不符史實的例子，可資證明。如〈疑古〉篇疑孔子滅湯之過，憎桀之惡，有「爲賢者隱」之弊：

〈湯誓．序〉云：「湯伐桀，戰于鳴條。」又云：「湯放桀于南巢，唯有慚德。」而〈周書．殷祝〉篇稱「桀讓湯王位」云云。此則有異於《尚書》。如〈周書〉之所說，豈非湯旣勝桀，力制夏人，使桀推讓，歸王於己。蓋欲比迹堯、舜，襲其高名者乎？又案《墨子》云：湯以天下讓務光，而使人說曰：湯欲加惡名於汝。務光遂投清冷之泉而死。湯乃即位無疑。然則湯之飾讓，僞迹甚多。考墨家所言，雅與〈周書〉相會。夫〈書〉之作，本出《尚書》，孔父截翦浮詞，裁成雅誥，去其鄙事，直云「慚德」，豈非欲滅湯之過，增桀之惡者乎？其疑五也。

〈惑經〉篇評孔子「爲賢者諱」，有慚良史：

觀夫子修《春秋》也，多爲賢者諱。狄實滅衞，因桓恥而不書；河陽召王，成文美而稱狩。斯則情兼向背，志懷彼我。苟書法其如是也，豈不使爲人君者，靡憚憲章，雖玷白圭，無慚良史也乎？其所未諭三也。

又論孔子「爲本國隱」，厚誣來世。

夫臣子所書，君父是黨，雖事乖正直，而理合名教。如魯之隱、桓戕弑，昭、哀放逐，姜氏淫奔，子般夭酷。斯則邦之孔醜，諱之可也。如公送晉葬，公與吳盟，爲齊所止，爲邾所敗，盟而不至，會而後期，並諱而不書，豈非煩碎之甚？且案汲冢竹書晉《春秋》及《紀年》之載事也，如重耳出奔，惠公見獲，書其本國，皆無所隱。唯《魯春秋》之記其國也，則不然。何者？國家事無大小，苟涉嫌疑，動稱恥諱，厚誣來世，奚獨多乎！其所未諭八也。

以上所舉之例即反對孔子翦裁《尚書》浮詞，滅湯之過，增桀之惡，及修《春秋》時「爲賢者諱」「爲本國隱」的書法，導致記載失實。可見知幾雖然認爲歷史事實不能脫離道德意義，卻也不同意史家爲了道德意義而枉顧歷史事實。

至於褒貶和歷史事實之間，究竟有沒有衝突？知幾如何取捨？從上面的分析，我們大膽地推論，在知幾的觀念裏，褒貶和事實是沒有衝突的，褒貶的道德意義和歷史事實的眞相是同時呈現的。對於孔子隱諱的書法，〈疑古〉篇中知幾說：「其詞簡約，推者難詳，缺漏無補。遂令後來學者莫究其源，蒙然靡察，有如聾瞽。」上古書寫工具不發達，孔子約其文辭，寓一字之褒貶，有其不得已原因，而唐代並沒有如此的困難，因此知幾認爲歷史敍述追究政治及倫理責任，已沒有言詞過於簡約，以致「推者難詳」，「莫究其源」的情形，只要事實本末具詳，道德意義便能夠表露無遺。歷史敍述的正確態度是「苟愛而知其醜，憎而知其善」，不能因個人愛憎而有所隱諱，只要史家有正直的倫理道德觀，要求歷史敍述紀實也就不成問題。

肆、褒貶與取材

我國紀傳體史書中的「論贊」，一般都被認爲是史家褒貶的唯一方式，但是歷史敍述中寓褒貶，未必假借論贊一體來表現，〈論贊〉篇知幾說：

馬遷〈自序傳〉後，歷寫諸篇，各敍其意。既而班固變爲詩體，號之曰述。范曄改彼述名，呼之以贊。尋述贊爲例，篇有一章，事多者則約之使少，理寡者則張之令大，名實多爽，詳略不同。且欲觀人之善惡，史之褒貶，蓋無假於此也。

知幾曾在〈敍事〉篇中提出四種敍事的方法：一曰，直紀其才行；二曰，唯書其事迹；三曰，因言語而可知；四曰，假贊論而自見。其實這四種敍事法，就是褒貶的方法，〈論贊〉篇這一段話暗示著另一積極的意義，即史家論褒貶可以透過才行、事迹、語言的記述來表達，也就是說史家應當選取足以彰顯褒貶意義的題材來寫。

在敍述事迹方面，〈書事〉篇說：

> 昔荀悅有云：「立典有五志焉：一曰達道義，二曰彰法式，三曰通古今，四曰著功勳，五曰表賢能。」干寶之釋五志也，「體國經野之言則書之，用兵征伐之權則書之，忠臣烈士孝子貞婦之節則書之，文誥專對之辭則書之，才力技藝殊異則書之。」於是採二家之所議，徵五志之所取，蓋記言之所網羅，書事之所總括，粗得於茲矣。然必謂故無遺恨，猶恐未盡者乎？今更廣以三科，用增前目：一曰敍沿革，二曰明罪惡，三曰旌怪異。何者？禮儀用舍，節文升降則書之；君臣邪僻，國家喪亂則書之；幽明感應，禍福萌兆則書之。於是以此三科，參諸五志，則
>
> 史氏所載，庶幾無闕。求諸筆削，何莫由斯？

《漢紀》的五志，主要從「好善」「記功」着眼，忽略了「嫉惡」「書過」一面，所以廣以「明罪惡」一目以錄「君臣邪僻，國家喪亂」之事，增入「旌怪異」一目以錄「幽明感應，禍福萌兆」之事。「

敍沿革」一目則爲「通古今」之不足而增補，二目皆重視古今之關係，但荀悅似乎著重於通古今之同，忽略辨古今之異，知幾屬意「禮儀用舍，節文升降」，實兼顧同異，並重因革。

另外，〈書志〉篇又提議正史有天文志，不如有人形志，有藝文志不如有方言志。並認爲可以增設都邑志、氏族志、方言志。都邑志錄歷代「宮闕制度」及「朝廷軌儀」的更佚；氏族志明周、秦以來，特別是南北朝以後的社會流動、民族遷徙及文化混同的情形；方物志顯漢到唐之間國勢的擴張，及中外關係的發展。

傳紀人物方面，必須「其惡可以誡世，其善可以示後」者，才有必要著諸竹帛，〈人物〉篇說：

> 至如不才之子，羣小之徒，或陰情醜行，或素餐尸祿，其惡不足以曝揚，其罪不足以懲戒，莫不搜其鄙事，聚而爲錄，不其穢乎？抑又聞之，十室之邑，必有忠信，而斗筲之才，何足算也。若《漢》傳之有傅寬、靳歙，《蜀志》之有許慈，《宋書》之虞丘進，《魏史》之王憲，若斯數子者，或才非拔萃，或行不逸羣，徒以片善取知，微功見識，闕之不足爲少，書之唯益其累。而史臣皆責其譜狀，徵其爵里，課虛成有，裁爲列傳，不亦煩乎？

選人而書的原則是「書之有益於褒貶，不書無損於勸誡」。可見史家應儘量選取具有重大道德意義的歷史事實，而非凡事必書。

從彰善而言，首推「累仁積德，其名蓋世」的聖賢。其次是「德業」「風範」足以爲後世師表的「命代大才」與「挺生傑出」的英秀，他們的表現，「或陳力就列，功冠一時」，「或殺身成仁，聲聞四海」。還有太史公所表揚的「明主賢君，忠臣死義之士」，「才德兼美」的賢婦、「守道不移」的志士，以及「馳名海內」的「文宗學府」。⑮

從懲惡而言，〈直書〉篇說：

況史之爲務，申以勸誡，樹之風聲。其有賊臣逆子，淫君亂主，苟直書其事，不掩其瑕，則穢迹彰於一朝，惡名被於千載。言之若是，吁可畏乎！

〈人物〉篇說：

至如四凶列於《尚書》，三叛見於《春秋》，西漢之紀江充、石顯，東京之載梁冀、董卓，此皆干紀亂常，存滅興亡所繫。既有關時政，故不可闕書。

遇有「亂臣賊子，淫君亂主」，應當「直書其事，不掩其瑕」，務必令其「穢迹彰於一朝，惡名被於千載」。對於「干紀亂常」的奸佞，乃國家「存滅興亡所繫」，「有關時政」，尤不可不載。

至於載文及載言方面，取舍的標準有三：一是文字本身的價値，二是文字勸誡的作用，三是辭理可觀。

〈雜說下〉篇「雜識」條下說：

夫載筆立言，名流今古。如馬遷《史記》，能成一家；揚雄《太玄》，可傳千載。此則其事尤大，託之於傳可也。

此就文章本身的價値而言，不朽的著作，才値得著入青史。又〈載文〉篇說：

> 蓋山有木，工則度之。況舉世文章，豈無其選，但苦作者書之不讀耳。至如詩有韋孟《諷諫》，賦有趙壹《嫉邪》，篇則賈誼《過秦》，論則班彪《王命》，張華述箴於女史，張載題銘於劍閣，諸葛表主以出師，王昶書字以誡子，劉向、谷永之上疏，晁錯、李固之對策，荀伯子之彈文，山巨源之啓事，此皆言成軌則，爲世龜鏡。求諸歷代，往往而有。苟書之竹帛，持以不刊，則其文可與三代同風，其事可與五經齊列。古猶今也，何遠近之有哉？

這是從鑒誡褒貶的觀點著眼，論選文章以入史册。即使選錄不朽的著作或有益勸誡的文章，亦不能「連章疏錄，一字無廢」，如此則「非復史書，更成文集」⑯，而必須摘選「辭理可觀」的部分。〈雜說下〉篇「雜識」條下說：

> 昔賈誼上書，晁錯對策，皆有益軍國，足貽勸戒。而編於漢史，讀者猶恨其繁。如《隋書》〈王劭〉、〈袁充〉兩傳，唯錄其詭辭妄說，遂盈一篇。尋又申以詆訶，尤其諂惑。夫載言示後者，貴於辭理可觀。既以無益而書，豈若遺而不載。

指出賈誼上書、晁錯對策一類作品，雖有益勸誡，但是《漢書》全文照錄，讀來不免恨繁。爲避插斷之繁，知幾又建議設立「制册書」和「章表書」，〈載言〉篇說：

> 愚謂凡爲史者，宜於表志之外，更立一書。若人主之制册、誥令，羣臣之章表、移檄，收之紀傳，悉入書部，題爲制册、章表書，以類區別。

制册書收人主的制册、誥令，章表書收羣臣的章表、移檄。這都是研究當代歷史的第一手資料。

知幾由論褒貶而愼取材，「辭理不當」「無益後世」的言語，固當「闕而不載」，「無裨勸獎，有長奸詐」的文章，更應揚棄不錄。天下善人少而惡人多，凡「才非拔萃」「行不逸群」，而「徒以片善取知，微功見識」者不書；凡「不才之子，群小之徒」，雖有「陰情醜行」，如「其惡不足以曝揚，其罪不足以懲戒」者也不書。又書事之間，凡不附於物理，有悖於人情之說，尤不可著於竹帛。

綜上所論，知幾認爲歷史敍述的取材不應浮濫，而其標準則是應能顯示褒貶鑒誡的意義。

伍、小　結

反對歷史敍述應有褒貶者，大抵認爲褒貶的標準難定，應用在歷史敍述中難免有偏見，會影響歷史的客觀性和眞實性。的確，歷史是不斷變動的，時間在變，空間在變，歷史人物、事件都不斷在變，因此，有些標準會隨著時代而改變，可是，有些標準卻有永恆的價值，可以放諸四海，推諸百代的，杜維運說：

在人類歷史上，有些標準，祇有相對性，時代變遷，地域轉移，其價値即消失。有些標準，卻是有絕對價値，可以推之四海而皆準，放諸百世而不惑。如人類的倫常應該維持；人與人之間應該互相友愛；國與國之間應該和睦相處；人類應該過幸福安樂的生活；宇宙間的正氣，如捨己爲人的義舉，殺身成仁的亮節，清廉耿直的情操，傲嘯山林的高風，應該永久垂留；不可原諒的暴行，如侵略、屠殺、壓迫、恣睢等，應該予以譴責。這是一些不應該變的絕對標準，人類歷史是不是一部文明史，人類是不是能有一個比較美與善的將來，關鍵在此等絕對標準（自然不止於以上所舉者）的維持不墜。⑰由此我們檢視知幾所論的「善惡」「是非」「邪正」「曲直」等道德上的標準，其實也就是指人倫不變的標準而言，這種人倫不變的標準正是史家在歷史敍述中寓褒貶的根據。

知幾論褒貶的標準和孔子一樣，同是就政治及倫理上的道德意義出發，二人皆表示了歷史敍述具有經世致用的精神和功能，但仍有顯著的差別：孔子較關心的是政治倫理的教誨（明王道），和道德行爲的法則（辨人事），故不在意歷史敍述是否完全符合客觀的事實，所以說「《春秋》以道義」，表示孔子只是假借《春秋》——歷史敍述的形式，表達「明王道」「辨人事」的目的。至於知幾則認爲歷史事實本身即具有道德的意義，強調歷史敍述中事實眞相和道德意義可以同時呈現，道德意義的追求如果會影響歷史眞相的呈現時，表示史家的道德標準有問題，因此對孔子虛美、隱惡的書法提出若干質疑。

而歷史敍述之寓褒貶，並不是空言義理，必須透過人物、事迹、語言等材料，傳達倫理道德的觀念，樹立人倫教化的典範。觀念、典範是抽象難見的，敍述題材卻是具體可尋的。選取具有褒貶意義的題材，可使歷史敍述之寓褒貶不露痕迹，因此，知幾相當重視歷史敍述的取材，認爲取材不應浮濫，必須選取有褒貶意義的題材來寫。

【附註】

① 見許氏著《劉知幾的實錄史學》，頁三。

② 見雷氏著〈唐前期國史官修體制的演變——兼論館院學派的史學批評及其影響〉一文，頁三六。

③ 見《史通通釋》，頁一一七、一四四、一六七、一九三、一九八、一九九、二〇五、二〇九、二二四、二七五、三二五、三四六、三六四、三七三、三七四、四〇二、四〇九、四二一、四二三、四五四、四八〇、四八五、四八八、五〇一、五一一、五一三、五二一、五二二、五八一。

④ 見《左傳會箋上》宣公二年，頁一四——一五。

⑤ 參見雷家驥〈兩漢至唐初的歷史觀念與意識(一)——兼論其與史學成立的關係〉一文緒論。

⑥ 見《左傳會箋下》襄公二十五年，頁三六。

⑦ 參見杜維運著《中西古代史學比較》第三章「史學原理的創獲比較」，頁三一——三四，頁四五——五〇。

⑧ 李宗侗歸納中國史學的特點有四：(一)累世不斷之史籍及專掌記注之史官，(二)正統的觀念，(三)用書法褒貶來勸善懲惡，(四)尊王攘夷之觀念。見《中國史學史》第十九章。

⑨ 參見丹尼斯推及特〈中國傳記寫作〉和〈中國傳記的幾個問題〉二文。
Denis C. Twitcheet, “Chinese Biographical Writing”, in “Historians of China and Japan”, W. G. Beasley & E.G. Pulleyblank, eds., PP95-114. (London: School of Oriental & African Studies, 1961) “Problems of Chinese Biography”, in “Confucian Personalities”, Arthur F. Wright &

Denis C. Twitchett, eds., PP24-42 (Stantord: Stantord University Press, 1962)

Denis said:

"In China an individual's status was vary different from that in western societies. The Chinese considered the individual not so much as the unit from which society was built, but as a single element in a complex of interlocking relationships with various larger groups." (in "Chinese Biography writing", P11o)

"the lieh-chuan style of biography was essentially an exploration not of a life but of the performance by its subject of some function or role. The whole style of such biographies was directed to producing a model-exemplary or minatory-for the fulfillment of this function. The details of a man's actions, the illustrative episodes characterizing his conduct, the quotations from his writings-all were selected to produce a consistent and integrated picture. (in "Problems of Chinese Biography", P35)

⑩ 見李氏〈中國史學史〉第十九章，頁一八〇。

⑪ 詳見張氏〈道德判斷與歷史研究〉一文。研究期間蒙黃師景進寄贈本資料，謹表謝忱。

⑫ 關於知幾論褒貶的觀點與善惡倫理觀的關係，日本學者鈴木啓造〈史通の勸善懲惡論〉一文論述頗詳，可資參考。

⑬ 關於知幾求實錄與論褒貶之間，涉及求眞與道德的衝突問題，可參閱日本學者大濱皓《中國・歷史・運命——史記と史

通》中《史通》部分，第二章。

⑭　見杜維運著《史學方法論》第十三章「歷史敍事與歷史解釋」，頁二一七——二二一。

⑮　以上見《史通通釋・人物》，頁二三七——二三九。

⑯　《史通通釋・載文》，頁一二六。

⑰　見杜氏《史學方法論》第十八章「史學上的美與善」，頁二九六。

第四章　史通論歷史敍述的形式

第一節　論史體

歷史敍述有一定形製，不同的形製，有不同的撰述方法，這種表現在外的形製，我們通常稱作「史體」，一如我們稱文學作品不同的形製爲「文體」一樣。

《史通》是我國研究史體最早的理論著作，其中所論包括體裁的形成、種類、發展，以及體例的規範，茲分別說明知幾的看法如下。

壹、辨析史體

一、『體』字不斷出現的意義

〈自敍〉篇云：「《史通》之爲書也，蓋傷當時載筆之士，其義不純。思欲辨其指歸，殫其體統。」知幾已自明撰寫《史通》的宗旨在辨正史體。因此，《史通》裏便不時出現「體」、「體統」、「體式」、「體制」、「大體」等字眼，以〈六家〉篇爲例，如：

古往今來，質文遞變，諸史之作，不恆厥體。

自宗周既殞，《書》體遂廢。

然時移世異，體式不同。

司馬彪又錄其行事，因爲《九州春秋》，州爲一篇，合爲九卷，尋其體統，亦近代之國語也。

是《史》、《漢》之體大行，而《國語》之風替矣。

大抵其體皆如《史記》，其所爲異者，唯無表而已。

尋《史記》疆宇遼闊，年月遐長，而分以紀傳，散以書表……此其爲體之失者也。

然稱謂雖別，而體制皆同。

於是考茲六家……《尙書》等四家，其體久廢，所可祖述者，唯《左氏》及《漢書》二家而已。

浦起龍《史通通釋》中〈六家〉篇末按語說：「是篇如奕者開枰布子，通領全局，以該史家之體，即以辨史體之家。」〈六家〉篇總結隋唐以前歷史敍述的體裁發展歸納出《尙書》、《春秋》、《左傳》、《國語》、《史記》、《漢書》等六大類；〈二體〉篇就史學發展，分析〈六家〉篇等六種體裁，只賸下編年、紀傳二體角力爭先。〈二體〉篇之後則分別論述載言之體及紀傳史體的體例，因此從〈二體〉篇以至於〈論贊〉、〈序例〉、〈題目〉、〈斷限〉、〈編次〉、〈稱謂〉等諸篇亦不時出現與「體」字相關的字句。如：

求諸備體，固以闕如。……子長著《史記》，載筆之體，於斯備矣。……然則班、荀二體，角力爭先，欲廢其一，固亦難矣。（〈二體〉篇）

史體如是，庶幾《春秋》、《尚書》之道備矣。（〈載言〉篇）

蓋紀之爲體，猶春秋之經，繫日月以成歲時，書君上以顯國統。（〈本紀〉篇）

司馬遷之記諸國也，其編次之體，與本紀不殊。（〈世家〉篇）

又傳之爲體，大抵相同，而述者多方，有時而異。（〈列傳〉篇）

原夫司馬遷曰書，班固曰志，蔡邕曰意，華嶠曰典，張勃曰錄，何法盛曰說。名目雖異，體統不殊。（〈書志〉篇）

其有本無疑事，輒設論以裁之，此皆私徇筆端，苟衒文彩，嘉辭美句，寄諸簡策，豈知史書之大體，載削之指歸者哉？（〈論贊〉篇）

史之有例，猶國之有法。……雖其體屢變，而斯文終絕。（〈序例〉篇）

苟忘彼大體，好茲小數，難與議夫「婉而成章」，「一字以爲褒貶」者矣。（〈題目〉篇）

爲史之體，有若於斯，苟濫引它事，豐其部帙，以此稱博，異乎吾黨所聞。（〈斷限〉篇）

至於其他篇章，雖非專就歷史敍述的體裁或體例設論，但亦有多處涉及史體的辨析，如：

以徐公文體，而施諸史傳，亦猶灞上兒戲，異乎眞將軍……（〈覈才〉篇）

此何異莊子述鮒魚之對而辯類蘇、張，賈生敍鵩鳥之辭而文同屈、宋，施於寓言則可，求諸實

錄則否矣。（〈雜說下〉篇「諸史」條）

> 而世之作者，恆不之察，聚彼虛說，編而次之，創自起居，成於國史，連章疏錄，一字無廢，非復史書，更成文集。（〈載文〉篇）

上述三例，知幾主要是辨明史體和文體的不同。此外，知幾亦辨析史書和經書、子書，以及小說的不同，則兼從形製和內容一起比較的。①換句話說，「嚴明史體」乃知幾針對歷史敘述的形式，所提出的最基本的寫作要求。「體」字不斷地在《史通》各篇中出現，反映了知幾的辨體觀念，以及他對史體的強烈重視。

二、辨體觀念的由來

一個批評理論的建構，必有其依據或背景，《史通》開宗明義且全書通貫著辨體的言論，絕非出於偶然。考魏晉起就有辨體的觀念，但主要在辨析文體，六世紀初文壇上便出現了辨析文體的理論專著──《文心雕龍》，爲六朝辨析文體集大成之作②。而辨析史體的著述却遲遲未見出現，從《隋志》著錄可知六朝史部著述，不論在數量或在形式上都相當可觀，史部的數量甚至超過集部，同樣的背景，文學方面已出現了一部辨析文體的理論專著，史學方面則遲了二百多年，直至八世紀初《史通》之作③，才有辨析史體的理論專著產生。這在文史各自朝向專業化領域發展時，顯示了什麼意義？反映了什麼事實？似是值得重視的問題。

根據《四庫全書總目提要・詩文評序》云：

> 文章莫盛於兩漢，渾渾灝灝，文成法立，無格律之可拘。建安黃初，體裁漸備，故論文之說出焉，典論其首也。

這裏提到辨體的基本條件，是要有可辨的對象（體裁漸備），且這些對象要有相當的數量（渾渾灝灝）。

六朝時文史著作，內容和數量都相當可觀，足達辨體的條件。按隋志所載，史籍存八百一十七部，集部存五百五十四部；合亡書通記，史籍則有八百七十四部，集部則有一千一百四十六部。從內容區分史籍凡正史、古史、雜史、霸史、起居注、舊事、職官、儀注、刑法、雜傳、地理、譜系、簿錄等十三類，從結集區分集部凡楚辭、別集、總集三類。集部相當於文學的範疇，文學體類的辨析，梁代已有文心雕龍這本理論著作產生，爲何史學在當時並沒有相應的理論著作出現呢？這與六朝士人的創作意識有關。章學誠《與陳觀民工部論史學》一文中，曾說明文史本質不同的地方：

> 蓋論史而至於文辭末也，然就文論文，則一切文士見解，不可與論史文。……即如文士撰文，惟恐不自己出；史家之文，惟恐出之於己；其大本先不同矣。史體述而不造，史文而出於己，是爲言之無徵，無徵且不信於後也。④

同爲文辭，文士之文與史家之文不同。文學的本質重創造、多主觀，史學的本質尚材料、實眞、多客觀；故爲文者易於變造文辭而鋪張揚厲，爲史者拘於崇實求眞較難暢其欲言。魏晉南北朝是個人意識覺醒的時代⑤，士人皆喜表現個人的思想，爲文既易於著史表現自我，自然志於爲文以干祿求譽。章學誠分析爲史難以顯衆的事實說：

有一代之史，有一國之史，有一家之史，有一人之史。整齊故事與專門家學之義不明，而一代之史鮮有知之者矣；州縣方志與列國史記之義不明，而一國之史鮮有知之者矣；譜牒不受史官成法，而一家之史鮮有知之者矣；諸子體例不明，文集各私撰著，而一人之史鮮有知之者矣。⑥

考六朝著名的文學家頗多兼著史書，如晉陸機的《晉紀》，宋謝靈運的《晉書》，齊沈約的《晉書》、《宋書》、《齊紀》，梁江淹的《齊史》，吳均的《齊春秋》。又逯耀東考察出魏晉別傳之作，多成於世家大族出身的文士⑦。故六朝人頗多以文學家的身分而兼職史學的。《史通》有兩處反映當時這種情況，〈覈才〉篇說：

夫史才之難，其難甚矣。晉令云：「國史之任，委之著作，每著作郎初至，必撰名臣傳一人。」斯蓋察其所由，苟非其才，則不可叨居史任。若蔡邕、劉峻、徐陵、劉炫之徒，各自謂長於著書，達於史體，然觀侏儒一節，而他事可知。

〈史官建置〉篇說：

當魏中和中，始置著作郎，職隸中書，其官即周之左史也。晉元康初，又職隸秘書，著作郎一人，謂之大著作，專掌史任，又置佐著作郎八人。宋齊已來，以「佐」名施於「作」下。舊事，佐郎職知博採，正郎資以草傳，如正、佐有失，則秘監職思其憂。其有才堪撰述，學綜文史，雖居他官，或兼領著作。亦有雖爲秘書監，而仍領著作郎者。若中朝（曹魏、西晉）之華嶠、陳壽、陸機、束皙，江左（東晉）之王隱、虞預、干寶、孫盛，宋之徐爰、蘇寶生，梁之沈約、裴子野，斯並史官之尤美，著作之妙選也。而齊梁二代又置修史學士，陳氏因循，無所變革，若劉陟、謝昊、顧野王、許善心之類是也。

由上述二文可知文士兼掌史職原是六朝當時一種普遍現象，但當時文士頗熱衷於文體辨析，對於史體辨析，除《文心雕龍・史傳》外，則少有論述，原因可能如章實齋所云，史著較難有個人主觀發揮餘地。觀《文選》錄有「史論」及「史述贊」，可見文士對史書著述的重點所在。蓋前人事迹之記錄整理，必須根據客觀事實材料加以組織，個人發揮餘地不大，且各種史書著述亦有定製，「史論」及「史述贊」則可見個人的文才與見識。由此可見，六朝士人關心的焦點在文學，辨體的目標自然在文體，而不是在史體。

《史通》之前的史家，未曾有過辨體的論著，前此，六朝文壇上，辨析文體的觀念却已相當流行。建安黃初時文學創作的數量達到相當程度，各種體裁漸備，已有條件產生論文的作品。

曹丕〈典論論文〉非專爲辨析文體而作，然所云：「奏議宜雅，書論宜理，銘誄尚實，詩賦欲麗，此四科不同，故能之者偏也。」便已具辨體的觀念，他將當世文體分成四科八類，並以雅、理、實、麗說明各種文體的風格。⑧

西晉陸機作〈文賦〉，論各類文體的特質說：「詩緣情而綺靡，賦體物而瀏亮，碑披文以相質，誄纏綿而悽愴，銘博約而溫潤，箴頓挫而清壯，頌優游以彬蔚，論精微而朗暢，奏平徹以閑雅，說煒曄而譎誑。」從文體類別來說，較〈典論〉八類更爲詳細。

摯虞《文章流別論》,據嚴可均所輯《全六朝文》,可知其分文體爲頌、賦、詩、七、箴、銘、誄、哀辭、解嘲、碑、圖讖等十一類。

王瑤在〈文體辨析與總集的成立〉一文中,從總集成立導致論文辨體的需要說:

文章的日多,秘閣藏書,分部錄簿,事實上也不能沒有一個分類的辦法和觀念,而且各家的詩文既然日見其多,則閱者隨其愛習,採摘鈔錄,也自然會促成總集的出現和分類的條貫。……爲了網羅放佚,爲了刪汰繁蕪,在文籍日興,辭賦轉繁的建安以後,分體編錄一部總集,自然是時代的需要。⑨

王氏從《隋志·總集》的著錄中,具體舉出西晉杜預《善文》、金谷蘭亭的詩集、東晉李充《翰林論》、荀勗《雜撰文章家集敍》、張湛《古今箴銘集》、宋齊之世劉義慶《集林》、謝混《文章流別本》、謝靈運《詩集賦集》、宋明帝《晉江左文章志》等例子印證,由於各種選集的出現促進了文體辨析的發展。

齊梁時,文體辨析的理論邁進全盛期,《昭明文選》辨析文體共分三十九類,第一類「賦」又分子目十一,第二類「詩」又分子目二十二,可謂極爲詳細,然仍是一部文學總集。此時另有劉勰所作的《文心雕龍》,是我國現存最早的辨析文體的專門著作,從〈明詩〉到〈書記〉二十篇,幾乎占了《文心》全書五十篇一半的份量,來討論文體分類以及相關問題,單就文章體類上作分析,除五經六緯與騷辭不計外,粗覽大數,凡二十體一百八十類之多⑩。

從曹丕〈典論論文〉起到《文心雕龍》、《昭明文選》，文體辨析可謂愈趨精密，知幾分別紀、傳二體時，就以詩、賦之分別來比喻，如〈列傳〉篇所說：

夫紀傳之不同，猶詩賦之有別。

可見《史通》辨析史體的觀念，是受到六朝辨析文體的啓示。又由《史通．自敍》云：「詞人屬文，其體非一，……故劉勰《文心》生焉。」可見知幾必熟讀《文心》之辨體論。加上知幾自幼即游於文學，所奠定的文學素養，如〈自敍〉所云：「余幼喜詩賦」，「余初好文筆，頗獲譽於當時。晚談史傳，遂減價於知己。」足見知幾原本嫻熟詩賦等文學作品，他對文學辨體的觀念，自是非常熟悉的。知幾既欲辨析史體，在無前例可尋的情形下，六朝辨析文體的概念，對知幾而言無異是一種啓發。

在六朝辨析文體的著作當中，《史通》與《文心雕龍》的關係最密切。《史通》與《文心》的關係，昔賢早已論及：明胡應麟即說過：「《史通》之爲書，其文劉勰也，而藻繪弗如。」⑪近人范文瀾認爲《史通》一書是就《文心．史傳》篇意推廣而成的，他說《史通》「皆子玄書中精義，而彥和已開其先河。」⑫許冠三則有專章討論《史通》與《文心》的關係，他指出《史通》受惠於《文心》的地方，除了觀念的啓發、文字的襲用外，更指出《史通》的著述形式—或述或論，亦述亦論—乃脫胎於《文心》「原始以表末」，與「釋名以章義」的辨體方式。⑬

《文心雕龍》辨體的方式，依其〈序志〉篇所說有四：㈠原始以表末，㈡釋名以章義，㈢選文以定篇，㈣敷理以舉統。「原始以表末」是追究各種文體的發生與形成，「釋名以章義」是析釋各種文類名稱由來而表明其意義指涉，「選文以定篇」是以已實現的作品來驗證名實相副的狀況，使釋名以章義的空概念得有實質的內容，驗證過程中往往會牽涉對作品的批評。「敷理以舉統」是從名實相副的概念與實際例證的觀察中，歸納出文體普遍的法式。⑭這四個方式，劉勰實際運用在〈明詩〉至〈書記〉二十篇文體中。知幾在《史通》中，從〈本紀〉到〈序例〉七篇析論紀傳體的體例，基本上就是採用《文心》論文體諸篇的架構，此處以〈本紀〉、〈世家〉、〈列傳〉三篇爲例，試繪一表，可見其大概：

	原始以表末	釋名以章義	選文以定篇	敷理以舉統
本紀	昔汲冢竹書是曰《紀年》，《呂氏春秋》肇立紀號。及司馬遷之著《史記》也，又列天子行事以本紀名篇，後世因之，守而勿失。	蓋紀者，綱紀庶品，網羅萬物。考篇目之大者，其莫過於此乎？	然遷之以天子爲本紀……諸侯而稱本紀，本名責實，再三乖謬。……曹武雖曰人臣實同王者陳《志》權假漢年，編作《魏紀》，亦猶兩漢書首列秦莽之正朔也……而陸機《晉書》列紀三祖，直序其事，竟不編年……如近代述者魏著作、李安平之徒，其撰《魏》《齊》二史……全爲傳體，有異紀文……	蓋紀之爲體，猶《春秋》之經，繫日月以成歲時，書君上以顯國統。……紀者，既以編年爲主，唯敘天子一人。有大事可書者，則見之於年月；其書事委曲，付之列傳。此其義也。

世家	列傳
自有王者，便置諸侯，…：司馬遷之記諸國也，其編次之體，與本紀不殊。	夫紀傳之興肇於《史》、《漢》。……尋茲例草創，始自子長，而朴略猶存，區分未盡。
蓋欲抑彼諸侯，異乎天子，故假以他稱，名爲世家。案世家之爲義也，豈不以開國承家，世代相續。	蓋紀者，編年也。傳者，列事也。編年者，歷帝王之歲月，猶春秋之經；列事者錄人臣之行狀，猶春秋之傳。《春秋》則傳以解經，《史》《漢》則傳以釋紀。
陳勝起自群盜……無世可傳，無家可宅而以世家爲稱，豈當然乎？夫史之篇目，皆遷所創，豈以自我作故，而名實無準……蓋班《漢》知其若是釐革前非，至如蕭曹茅土之封，荊楚葭莩之屬，并一概稱傳，無復世家……及魏有中夏，而揚益不賓……梁主敕撰通史，定爲吳蜀世家……次有子顯《齊書》北編魏虜，牛弘《周史》，南記蕭詧考其傳體，宜曰世家……	項王宜傳，而以本紀爲名，非惟羽之僭盜不可同於天子，且推其序事，皆作傳言……案范曄《漢書》記后妃六宮，其實傳也，而謂之爲紀。陳壽《國志》載孫、劉二帝，其實紀也而呼之曰傳。
其編次之體，與本紀不殊。……當漢氏之有天下也，其諸侯與古不同……或傳國唯止一身，或襲爵才經數世，雖名班胙土而禮異人君，必編世家，實同列傳。	又傳之爲體，大抵相同，而述者多方，有時而異。如二人行事首尾相隨則有一傳兼書包括令盡……亦有事迹雖寡，名行可崇，寄在他篇，爲其標冠……尋附出之爲義，攀列傳以垂名……竊以書名竹素，豈限詳略，但問其事竟如何耳。……

知幾曾表明其作《史通》，欲包呑《文心雕龍》的雄心，〈自序〉篇云：「夫其書雖以史爲主，而餘波所及，上窮王道，下掞人倫，總括萬殊，包呑千有。自《法言》已降，迄於《文心》而往，固以納諸胸中，曾不慸芥者矣。」據上表的分析，《史通》取法《文心》的著述形式，確是不爭的事實。

貳、歷史敍述的體裁

《史通》開宗明義即辨史體，創「六家」、「二體」的名詞，將唐以前歷史敍述的體裁作番概述。浦起龍〈史通通釋舉要〉便說：「《史通》開章提出四個字立柱棒，曰『六家』，曰『二體』。此四字劉氏創發之，千古史局不能越。自來評家認此四字者絕少，此四字管全書。」〈六家〉篇將歷史敍述的體裁歸納爲六種，並以其開創者爲名，定爲六家，此六家爲：

1. 尙書家　記言體之祖
2. 春秋家　記事體之祖
3. 左傳家　編年體之祖
4. 國語家　國別體之祖
5. 史記家　通代紀傳體之祖
6. 漢書家　斷代紀傳體之祖

知幾考此六家說《尙書》、《春秋》、《國語》、《史記》等四家「其體久廢」，所可祖述者，唯《

左傳》、《漢書》兩家而已。他稱贊《左傳》說：

觀《左傳》之釋經也，言見經文而事詳傳內，或傳無而經有，或經闕而傳存。其言簡而要，其事詳而博，信聖人之羽翮，而述者之冠冕也。

因爲《左傳》以編年體而又「言事相兼」，可以說融合了《尚書》記言與《春秋》記事的優點，故知幾推爲可祖述者之一。

至於另一部可祖述的史體，知幾選擇了「斷代成書」的《漢書》，他說：

尋《史記》疆宇遼闊，年月遐長，而分以紀傳，散以書表，每論家國一政，而胡、越相懸；敍君臣一時，而參、商是隔。此其爲體之失者也。兼其所載，多聚舊記雜言，故使覽之者事罕異聞，而語饒重出，此撰錄之煩者也。……

如《漢書》者，究西都之首末，窮劉氏之廢興，包舉一代，撰成一書。言皆精練，事甚該密，故學者尋討，易爲其功。迄今，無改斯道。

這裏指出《史記》的缺點：㈠分散懸隔，㈡撰錄之煩。分散懸隔，是指體裁的缺陷；撰錄之煩，則指《史記》因體裁的限制，而有敍述文字煩累重出之失。這兩點是針對編年體《左傳》的體簡文約，與紀傳體比較優劣的。《史記》既有上述之缺失，而同爲紀傳體的《漢書》自亦不能免，但是知幾却推爲可祖述者之一，主要關鍵在「包舉一代，撰成一書」「學者尋討，易其爲功」，蓋斷代爲史，易爲其功，無通代龐雜，難爲其功之虞。

綜上所論，知幾奉《左傳》、《漢書》分別爲編年體及紀傳體的楷模，主要是從「簡」「易」着眼，過去論者却以此認爲知幾甲班乙馬，其實浦起龍《史通通釋・六家》篇按語已說明是曲解知幾文義所致，他說：「劉氏以時近者易爲功，代遠者難爲力，有鑒於通史、科錄之蕪累，故特標舉「斷限」，借史、漢二家以示適從云爾。夾漈持論，有意矯枉，其言旣悖，至評者認此爲乙馬甲班，直不曉文義矣。」

根據史體的發展，歷史敍述的體裁，不出編年、紀傳二體角力爭先，於是繼〈六家〉篇之後，知幾特立〈二體〉篇說明這種情況，並且給編年、紀傳二體一個互有長短的論斷，他說：

夫《春秋》者，繫日月而爲次，列時歲以相續，中國外夷，同年共世，莫不備載其事，形於目前。理盡一言，語無重出，此其所以爲長也。至於賢士貞女，高才儁德，事當衝要者，必盱衡而備言；跡在沈冥者，不枉道而詳說。……故論其細也，則纖芥無遺，語其粗也，則丘山是棄，此其所以爲短也。

此指出《春秋》的優點在以時歲繫事，故中外夷狄同年共世，易於觀覽，而少重複；其缺點是只載王朝興廢之事，故有些重要的事情却闕而不錄。接著，知幾又說：

《史記》者，紀以包舉大端，傳以委曲細事，表以譜列年爵，志以總括遺漏。逮於天文地理，國典朝章，顯隱必該，洪纖靡失，此其所以爲長也，若乃同爲一事，分在數篇，斷續相離，前後屢出，於〈高紀〉則云語在〈項傳〉，於〈項傳〉則云事具〈高紀〉，又編次相類，不求年月，後生而擢居首帙，先輩而抑歸末章，遂使漢之賈誼，將楚屈原同列；魯之曹沫，與燕荊軻並編，此其所以為短也。

此指出《史記》有紀、傳、表、志等體例，其優點可以包舉大端，舉凡人事、典制、天文、地理均可納入敍述，因此較編年體記載詳盡；而其缺點是同屬一事分在數篇，會有重複的現象。

綜上可知，編年體的優點在按年敍事，可備載事情始末，其缺點也由此而生，因為按年敍事，往往缺乏系統，有許多遺漏，而紀傳體的優點正可彌補編年的缺失，因為紀、傳、表、志分類可以統攝周備，但缺點也因此而生，由於一事常分散數篇，所以不能縱觀事件全貌。由於編年與紀傳互有長短，可以相互彌補，因此知幾主張二體應並行不廢。最後他說：

然則班、荀二體，角力爭先，欲廢其一，固亦難矣。後來作者，不出二途。故《晉史》有王、虞，而副以《干紀》，《宋書》有徐、沈，而分為《裴略》，各有其美，並行於世。異夫令升之言，唯守一家而已。

由此觀之，知幾顯然理解紀傳體是滿足歷史敍述的需要，包容歷史總體的體裁，唯體例浩繁，雖事詳而文煩，令人難以周覽，如有體簡文約的編年體並行於世，則可以補其失，因此對於干寶揚《左傳》抑《史記》之說加以懷疑。

叁、紀傳體的體例

由於正史以紀傳體爲主，故討論紀傳體的體例，便成爲《史通》辨體的重點，翦伯贊先生曾說紀傳體這種體裁，「已並編年、紀事、紀言、分國諸體於一書，別而裁之，融而化之，使其相互爲用，彼此相銜，以各家之長，濟各家之短，而又益之以表曆，總之以書志，卓然自成爲一種新的歷史體裁。」[15]以下就「本紀」、「世家」、「列傳」、「表曆」、「書志」、「論贊」、「序例」七個體例說明知幾的意見。

一、本紀

知幾論「本紀」提出了三點意見：

第一，「本紀」所以紀天子，非天子不應列入，因此他對於司馬遷之列周秦先世於本紀，認爲「可怪」，列項羽於本紀，認爲「乖謬」，〈本紀〉篇說：

> 然遷之以天子爲本紀，諸侯爲世家，斯誠儻矣。但區域既定，而疆理不分，遂令後之學者罕詳其義。案姬自后稷至於西伯，嬴自伯翳至於莊襄，爵乃諸侯，而名隸本紀。若以西伯、莊襄以上，別作周、秦世家，持殷紂以對。武王，拔秦始以承周赧，使帝王傳授，昭然有別，豈不善乎？必以西伯以前，其事簡約，別加一目，不足成篇。則伯翳之至莊襄，其書先成一卷，而不共世家等列，輒與本紀同編，此尤可怪也。項羽僭盜而死，未得成君，求之於古，則齊無知、衛州吁之類也。安得諱其名字，呼之曰王者乎？春秋吳、楚僭擬，書如列國。假使羽竊帝名，正可抑同群盜，況其名曰西楚，號止霸王者乎？霸王者，即當時諸侯。諸侯而稱本紀，求名責

實，再三乖謬。

第二，「本紀」所以紀年歲，顯國統，故無年號者不紀，無國統者不書。所以《魏志・曹傳》，權假漢年；韋曜《吳史》，不紀孫和。蓋以其子孫雖爲天子，其祖先不能因之而亦稱天子。如其祖先亦稱天子，則當時固有天子，沒有歷史地位，可以安插這位追尊的天子，所以反對把追尊的天子寫入本紀。〈本紀〉篇說：

蓋紀之爲體，猶春秋之經，繫日月以成歲時，書君上以顯國統。曹武雖曰人臣，實同王者，以未登帝位，國不建元。陳《志》權假漢年，編作《魏紀》，亦猶《兩漢書》首列秦、莽之正朔也。後來作者，宜準於斯。而陸機《晉書》，列紀三祖，直序其事，竟不編年。年既不編，何紀之有？

第三，「本紀」的體裁，是以事繫年，而且專載大事，以顯示某一帝王時代的歷史大勢，不應把瑣碎的細事寫入本紀。〈本紀〉篇說：

又紀者，旣以編年爲主，唯敍天子一人。有大事可書者，則見之於年月；其書事委曲，付之列傳。此其義也。如近代述者魏著作、李安平之徒，其撰《魏》、《齊》二史，於諸帝篇，或雜載臣下，或兼言他事，巨細畢書，洪纖備錄。全爲傳體，有異紀文，迷而不悟，無乃太甚。

二、世家

知幾論「世家」也提出了三點意見：

第一，「世家」所列的人物必須有世可續，有家可承，否則即不應列於世家，因此對司馬遷將陳勝列於世家，頗不以爲然。〈世家〉篇說：

案世家之爲義也，豈不以開國承家，世代相續？至如陳勝起自群盜，稱王六月而死，子孫不嗣，社稷靡聞，無世可傳，無家可宅，而以世家爲稱，豈當然乎？

第二，「世家」所以錄諸侯，不應錄大夫。因此，他反對司馬遷錄三晉及田氏之先世於世家，而田完反沒其名號。〈世家〉篇說：

且諸侯、大夫，家國本別。三晉之與田氏，自未爲君而前，齒列陪臣，屈身藩后，而前後一統，俱歸世家。使君臣相雜，升降失序，何以責季孫之八佾舞庭，管氏之三歸反坫？又列號東帝，抗衡西秦，地方千里，高視六國，而沒其本號，唯以田完制名，求之人情，孰謂其可？

第三，「世家」所列諸侯應該是專制一國，傳世甚久的古代諸侯，而徒有其名的漢代諸侯，則不應列入世家。〈世家〉篇說：

夫古者諸侯，皆即位建元，專制一國，綿綿瓜瓞，卜世長久。至於漢代則不然。其宗子稱王者，皆受制京邑，自同州郡；異姓封侯者，必從宦天朝，不臨方域。或傳國唯止一身，或襲爵才經數世，雖名班胙土，而禮異人君，必編世家，實同列傳。而馬遷強加別錄，以類相從，雖得畫一之宜，詎識隨時之義？

此外，他以爲還有一類人物即割據之君，「爲史者必題之以紀，則上通帝王；榜之以傳，則下同臣妾」，故宜列於世家。

三、列傳

知幾對於「列傳」提出了五點意見：

第一，「列傳」所以列卿大夫，非卿大夫則不應編入列傳，因此他反對陳壽《三國志》中列吳蜀二帝於「列傳」。〈列傳〉篇說：

夫紀傳之不同，猶詩賦之有別，而後來繼作，亦多所未詳。案范曄《漢書》記后妃六宮，其實傳也，而謂之爲紀；陳壽《國志》載孫、劉二帝，其實紀也，而呼之曰傳，考數家之所作，其未達紀傳之情乎？

第二，「列傳」主題應繫人名，如非人名即不應列入。〈編次〉篇批評《史記・龜策列傳》之不是：

尋子長之列傳也，其所編者唯人而已矣。至於龜策異物，不類肖形，而輒與黔首同科，俱謂之傳，不其怪乎？且龜策所記，全爲志體，向若與八書齊列，而定以書名，庶幾物得其朋，同聲相應者矣。

第三，「列傳」中有「合傳」，知幾以爲合傳的人物，必須同時並世，而其行事又首尾相隨，如「陳餘、張耳合體成篇，陳勝、吳廣相參並錄」（〈列傳〉篇）這是可以的。至於以異代之人，列於一傳，如「漢之賈誼將屈原同列，魯之曹沫與荊軻並編」「老子與韓非並列，賈詡將荀彧同編」（〈

編次〉篇）這是不對的。

第四，「列傳」中有「附傳」，知幾以爲這種附出的人物，必須「名行可崇」而又「事迹甚寡」，不足以獨立成傳，所以「寄在他篇，爲其標冠。若商山四皓，事列王陽之首，廬江毛義，名在劉平之上是也。」（〈列傳〉篇）。但如《漢書》「每一姓有傳，多附出餘親。其事迹尤異者，則分入它部。故博陸、去病昆弟非復一篇，外戚、元后婦姑分爲二錄。」（〈編次〉篇）這就不對了。

第五，知幾以爲「列傳」的用意在播遺迹，顯令聞，但「自班、馬以來，獲書於國史者多矣。其間則有生無令聞，死無異迹，用使游談者靡徵其事，講習者罕記其名，而虛班史傳，妄占篇目。」（〈列傳〉篇）這便違背了「列傳」的本意。

四、表　曆

知幾以史體尙簡要的原則，大體反對「表曆」的設置。他以爲歷史敍述應該用文字形式表現出來，而非用表曆排列，而且史實既見於文詞，又再列於表曆，實爲重複，況且編次上列於本紀、世家之間，讀者並不重視，常跳過不看。〈表曆〉篇說：

夫以表爲文，用述時事，施彼譜牒，容或可取，載諸史傳，未見其宜。何則？《易》以六爻窮變化，《經》以一字成褒貶，《傳》包五始，《詩》含六義。故知文尙簡要，語惡煩蕪，何必款曲重沓，方稱周備。

觀馬遷《史記》則不然矣。天子有本紀，諸侯有世家，公卿以下有列傳，至於祖孫昭穆，年月

> 職官，各在其篇，具有其說，用相考覈，居然可知。而重列之以表，成其煩費，豈非謬乎？且表次在篇第，編諸卷軸，得之不爲益，失之不爲損。用使讀者莫不先看本紀，越至世家，表在其間，緘而不視，語其無用，可勝道哉！

在諸史的表曆中，知幾最反對《漢書・古今人表》，〈表曆〉篇說：

> 異哉，班氏之〈人表〉也！區別九品，網羅千載，論世則異時，語姓則他族。自可方以類聚，物以群分，使善惡相從，先後爲次，何藉而爲表乎？且其書上自庖犧，下窮嬴氏，不言漢事，而編入《漢書》，鳩居鵲巢，蔦施松上，附生疣贅，不知翦截，何斷而爲限乎？

這是從時代的斷限來批評〈古今人表〉中所錄的歷史人物，既非同出一族，又非同在一時，並且皆繫漢以前人物，以漢以前人物列在《漢書》，實在是不倫不類，所以批評〈古今人表〉猶如「鳩居鵲巢，蔦施松上」，形同「附生贅疣」。

知幾認爲如欲作表，只應適用於歷史上的紛亂時期，如春秋戰國以及五胡亂華時期，〈表曆〉篇說：

> 必曲爲銓擇，強加引進，則列國年表或可存焉。當春秋戰國時，天下無主，群雄錯峙，各自年世，若申之於表，以統其時，則諸國分年，一時盡見。
>
> 當晉氏播遷，南據揚、越，魏宗勃起，北雄燕、代，其間諸僞，十有六家，不附正朔，自相君長。崔鴻著表，頗有甄明，比於《史》、《漢》群篇，其要爲切者矣。

因此在《史》、《漢》諸表中，惟「列國年表，或可存焉」，並以爲崔鴻《十六國春秋》中的表，比之於《史》、《漢》更爲切要。由此看來，知幾雖然認爲表曆繁複，但也確實未曾抹殺表曆的一些功能，如〈雜說上〉篇「諸漢史」條說：

> 觀太史公之創表也，於帝王則敍其子孫，於公侯則紀其年月，列行縈紆以相屬，編字戢孴而相排，雖燕、越萬里，而於徑寸之內犬牙可接；雖昭穆九代，而於方尺之中雁行有敍。使讀者閱文便覩，舉目可詳，此其所以爲快也。

這裏便肯定了表能繫紀年不一，前後相隔的人事，彌補紀傳體敍述時分散懸隔，煩亂之失。周虎林曾歸納《史記》的表有三個作用：㈠整齊年差，㈡會通史事，㈢補紀傳之缺，[16]由上述三段引文看來，知幾並非不知。又〈表曆〉篇說：

> 如兩漢御歷，四海成家，公卿既爲臣子，王侯才比郡縣，何用表其年數，以別於天子者哉！又甚於斯者。

因此知幾所反對的表曆當指如兩漢朝代統一，歲時相繫不雜，而又與文字敍述重複的表。

五、書　志

知幾對於「書志」頗爲稱贊，他認爲書志源於古代《禮經》，可以收錄紀傳以外的史料，〈書志〉篇說：

> 夫刑法、禮樂、風土、山川，求諸文籍，出於三禮。及班、馬著史，別裁書志。考其所記，多

效《禮經》。且紀傳之外，有所不盡，隻字片文，於斯備錄。語其通博，信作者之淵海也。不過書志之中，「天文」「藝文」「五行」三志有「妄入編次」的部分應予刪除。

他之所以主張刪除天文志是因爲天文變化不大，不如人事每代變易，故以爲天文志可刪，如必欲作志，則只應載當代的日月之蝕，星宿移動，而不必重複天體的概論。

他之所以主張刪除藝文志，是因爲同一書目「前志已錄，而後志仍書，篇目如舊，頻煩互出」，故以爲藝文志可刪，如必欲作志，則只應列當代撰者所撰之書，不應重複刊載前代之書目。

他之所以主張刪除五行志，是因爲五行志多載「虛說」「浮詞」「言無準的」「事涉虛妄」，如必欲爲志，則只應載當代災異，不應追證前事，曲加附會。

知幾因以「實錄」要求歷史敍述的內容，而〈天文〉〈五行〉兩志多虛妄不實之記載，因此主張刪除，至於因編次上的重複，認爲三志的作法，只須記當代部分，則是從其「體簡」的原則提出的。

另外，知幾主張歷史敍述宜增加「都邑」「方物」「氏族」三志，〈書志〉篇說：

京邑翼翼，四方是則。……土階卑室，好約者所以安人；阿房、未央，窮奢者由其敗國。此則其惡可以誡世，其善可以勸後者也。且宮闕制度，朝廷軌儀，前王所爲，後王取則。……故知經始之義，卜揆之功，經百王而不易，無一日而可廢也。……凡爲國史者，宜各撰都邑志，列於輿服之上。

金石、草木、縞紵、絲枲之流，鳥獸、蟲魚、齒革、羽毛之類，或百蠻攸稅，或萬國是供，〈

夏書〉則編於〈禹貢〉，〈周書〉則託於〈王會〉。亦有圖形九牧之鼎，列狀四荒之經……。自漢氏拓境，無國不賓……，爰及魏、晉，迄於周、隋，咸亦遐邇來王，任土作貢。異物歸於計吏，奇石顯於職方。凡爲國史者，宜各撰方物志，列於食貨之首。

帝王苗裔，公侯子孫，餘慶所鍾，百世無絕。……故周撰《世本》，式辨諸宗；楚置三閭，實掌王族。逮乎晚葉，譜學尤煩。用之於官，可以品藻士庶；施之於國，可以甄別華夷。……凡爲國史者，宜各撰氏族志，列於百官之下。

知幾增立「都邑」「方物」「氏族」三志的原因，是因爲三志資料原本就很豐富，且歷代都有，本應記載而缺載，因此刑入國史，可補舊志之不足，有助於了解當代社會經濟之全貌，並達歷史鑑戒之用。後來鄭樵便遵知幾之意，其所撰的《通志略》中便設立了「氏族略」及「都邑略」。

六、論　贊

知幾認爲「論贊」源於《左傳》「君子曰」，其最原始的作用是「辨惑釋疑」，其作法是：如有疑事，才設論裁斷。〈論贊〉篇說：

夫論者所以辯疑惑，釋凝滯。若愚智共了，固無俟商榷。丘明「君子曰」者，其義實在於斯。司馬遷始限以篇終，各書一論。必理有非要，則強生其文，史論之煩，實萌於此。夫擬《春秋》成史，持論尤宜闊略。其有本無疑事，輒設論以裁之，此皆私徇筆端，苟衒文彩，嘉辭美句，寄諸簡册，豈知史書之大體，載削之指歸者哉？

自《史記》以後，論贊變成各篇之末必備的體例，唯名目有所不同，〈論贊〉篇說：

> 《史記》云太史公。既而班固曰贊，荀悅曰論，東觀曰序，謝承曰詮，陳壽曰評，王隱曰議，何法盛曰述，揚雄曰譔，劉昞曰奏，袁宏、裴子野自顯姓名，皇甫謐、葛洪列其所號。史官所撰，通稱史臣。其名萬殊，其義一揆。必取便於時者，則總歸論贊焉。

而且後來的史家多藉論贊褒貶論斷人事，〈論贊〉篇說：

> 尋述贊爲例，篇有一章，事多者則約之使少，理寡者則張之令大，名實多爽，詳略不同。且欲觀人之善惡，史之褒貶，蓋無假於此也。

除了「釋疑辨惑」的作用外，「褒貶論斷」成爲論贊必有的作用。由於篇有一章的作法，結果造成史家寫論贊時，「事多者則約之使少，理寡者則張之令大」。知幾認爲歷史敍述的褒貶，可藉由其他方式來表達，如選擇具有褒貶意義的言行事迹來敍述，不必一定假借論贊來表現。

另外，知幾還提出論贊具有「補苴遺闕」的作用，〈論贊〉篇說：

> 史之有論也，蓋欲事無重出，文省可知。如太史公曰：「觀張良貌如美婦人，項羽重瞳，豈舜苗裔。」此則別加他語，以補書中，所謂事無重出者也。又如班固贊曰：「石建之浣衣，君子非之；楊王孫裸葬，賢於秦始皇遠矣。」此則片言如約，而諸義甚備，所謂文省可知者也。

此以《史記·項羽本紀》及《漢書·萬石君傳》說明這種作用的寫法，是不與本文的敍述重複。

七、序　例

第一，關於「序」。知幾認爲「序」可分爲全書之序及篇目之序兩種，〈序例〉篇說：

孔安國有云：「序者，所以敍作者之意也。」竊以書列典謨，詩含比興，若不先敍其意，難以曲得其情。故每篇有序，敷暢厥義。降逮《史》、《漢》，以記事爲宗，至於表志雜傳，亦時復立序。文兼史體，狀若子書，然可與誥誓相參，風雅齊列矣。

全書之序在序作者之意，如《史記．太史公自序》、《漢書．敍傳》；篇目之序旨在「敷暢厥義」，《史》《漢》於表志雜傳，亦時立篇目之序。但是自范曄「矜炫文彩」，創下「每書必序」的惡例，結果自晉至隋的史家，課成史序，不惜以老生常談充塞其數，「累屋重架」，讀來令人生厭。〈序例〉篇說：

爰洎范曄，始革其流，遺棄史才，矜衒文彩。後來所作，他皆若斯。於是遷、固之道忽諸，微婉之風替矣。若乃〈后妃〉、〈列女〉、〈文苑〉、〈儒林〉，凡此之流，范氏莫不列序。夫前史所有，而我書獨無，世之作者，以爲恥愧。故上自《晉》、《宋》，下及《陳》、《隋》，每書必序，課成其數。蓋爲史之道，以古傳今，古既有之，今何爲者？濫觴肇迹，容或可觀；累屋重架，無乃太甚。譬夫方朔始爲〈客難〉，續以〈賓戲〉、〈解嘲〉；枚乘首唱〈七發〉，加以〈七章〉、〈七辯〉。音辭雖異，旨趣皆同。此乃讀者所厭聞，老生之恆說也。

第二，關於「例」。知幾認爲史家立「例」必須與敍述的內容相符，〈序例〉篇說：

蓋凡例既立，當與紀傳相符。案皇朝《晉書》例云：「凡天子廟號，唯書於卷末。」依檢孝武崩後，竟不言廟曰烈宗。又案百藥《齊書》例云：「人有本字行者，今並書其名。」依檢如高愼、斛律光之徒，多所仍舊，謂之仲密、明月。此並非言之難，行之難也。《晉》、《齊》史例皆云：「坤道卑柔，中宮不可爲紀，今編同列傳，以戒牝雞之晨。」竊惟錄皇后者旣爲傳體，自不可加以紀名。二史之以后爲傳，雖云允愜，而解釋非理，成其偶中。所謂畫蛇而加足，反失杯中之酒也。

他舉唐修《晉書》及《北齊書》爲例，說明史例的寫法，除了要配合內容外，還要言之成理。

肆、小結

知幾於史館修史，有感於載筆之士，其義不純，體統不一，故撰述《史通》辨正史體。《史通》開宗明義篇即辨析史體的流派爲六家，根據歷史的發展，知幾歸納出編年、紀傳二種體裁互相抗衡。〈二體〉篇中，知幾肯定《史記》開創紀傳體的價值，但事實上却在〈本紀〉〈世家〉〈列傳〉〈表曆〉〈論贊〉〈編次〉〈雜說上〉〈暗惑〉等各篇批評其體例或文字上的不當。《左傳》爲知幾幼時的啓蒙書，《史通》全書則對《左傳》編年體的體簡文約充滿褒美之情，且有〈申左〉一篇極力贊揚。

據雷家驥先生指出自干寶倡議編年古史起，史學便興起二體之爭，南朝一系，二體角力爭先，紀傳體略勝於編年體，北朝一系，稍遲至李彪出來，亦恢復紀傳體獨擅之局，紀傳體在南北朝取得優勢以後，到了唐初遂取得了「正史」的學術地位，《史通》裏〈古今正史〉〈史官建置〉篇正反映這種事實。他認爲知幾既偏愛《左傳》，對於紀傳體獨取正史之地位，頗爲不滿，因此對紀傳體的代表作《史記》一再批評其結構詮配之不當，而造成文字撰述之煩；並且不同意劉勰《文心·史傳》論紀傳體「區詳而易覽」之說，而論及《史》《漢》優劣時，則與范曄取法《漢書》的意見一樣，主張斷代爲史，「易爲其功」。雷氏認爲知幾基於重振編年古史的動機，加上對《左傳》的偏好，推出知幾因而走上「體簡易明」「文約事豐」的理論訴求。⑰

知幾雖然理解二體各有其優劣得失，主張二體並行不廢，但自唐以後紀傳體定爲官修史體，編年體的地位變低，故其辨體的主張，傾向於「體簡易明」。而《史通》中以討論紀傳體的體例爲重點，實又反映知幾對紀傳體的重視。

第二節　論史文

中國自古以來即相當重視「言」的問題，如《左傳》中的立言不朽說，儒家的「詩言志」說，歷來思想家，亦或多或少有關於「言」的問題的論述。中國古代雖有自己的語言系統，但未形成近似西方語言學或語言哲學的理論系統，原因是古人所注重的不在邏輯問題，而是在情感心理方面的感受，亦即在乎語言是否符合聽者心理的要求，有無使讀者樂於接受的感染力。這種對語言要求情感心理反映的高度重視，是中國古代語言的一大特色，所以中國古代的著述，即使是論說性質，其語言亦具有相當程度的文學性。⑱執此以論中國的史書，如《史記》《漢書》等優秀著作，便因具有濃厚的文學性，而常被奉爲文章之宗。

語言是口頭的，文字是書面的，語言文字是歷史敍述活動中藉以傳達內容的媒介，此乃文史關係最密切的部分，知幾對這個問題頗爲重視，爲論述之方便，玆分「文質論」與「修辭論」二部分說明知幾對歷史敍述語言的看法如下。

壹、文質論

中國文字一字多義的現象，以及過去國人不注意分析的思維習慣，導致古人在論述時，對於所用語辭，常欠缺具體的解釋或明確的定義，因此古人的著述常有語義模糊的現象。不僅不同人對同一語辭有不同用法，即使同一個人用同一語辭，不同地方便有不同的意義。⑲《史通》便有類似的情形，如「文」字的用法至少就有三種：第一，指文章或文學時，通常和「史」字對舉，如：

文之將史，其流一焉。（〈載文〉篇）

文之與史，較然異轍。（〈覈才〉篇）

文之與史，何相亂之甚乎？（〈雜說下〉篇「諸史」條）

第二，指形諸翰墨的文字時，意義和「言」字相對，如：

夫飾言者爲文，編文者爲句，句積而章立，章積而篇成。篇目既分，而一家之言備矣。（〈敍事〉篇）

此時，「言」表示口頭語，「文」則表示書面語，或稱文字。第三種情況，「文」字通常和「質」字對舉，意指語言或文字的雕飾程度，如〈言語〉篇：

蓋樞機之發，榮辱之主，言之不文，行之不遠，則知飾詞專對，古之所重也。

蓋楚、漢世隔，事已成古，魏、晉年近，言猶類今。已古者即謂其文，猶今者乃驚其質。

此處「文」指典雅的語言，「質」指魯直的語言。楚漢之史文，因事隔遙遠，後人看來，皆顯得文雅，而魏晉之史文因距唐較近，則顯得魯直。另外「文」「質」亦指文字的典雅和質樸，如〈敍事〉篇：

夫史之稱美者，以敍事爲先。至若書功過，記善惡，文而不麗，質而非野，使人味其滋旨，懷其德音，三復忘疲，百遍無斁，自非作者曰聖，其孰能與於此乎？

這裏所提到的「文」「質」，是就歷史敍述的文采而言。

綜上，可將「文」「史」「言」「質」等字，簡列其關係如下：

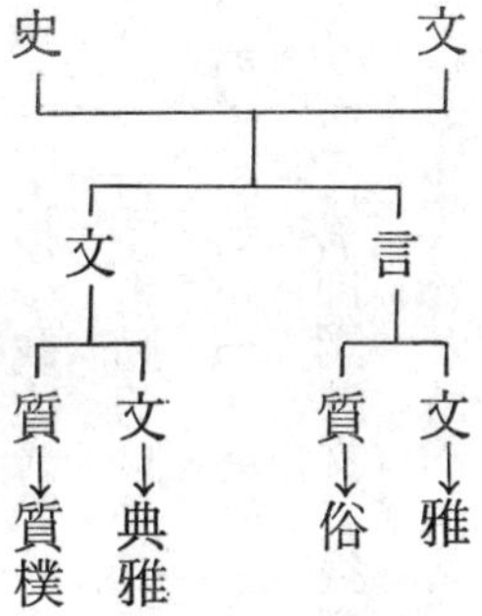

透過上面簡單分析，我們知道知幾頗重視文史在語言上的差異，他觀察語言的變遷與歷史敍述的關係，並注意到文學流風對歷史敍述的影響，從而對歷史敍述語言提出一些主張，以下分做「文質遞變」及「文質並重」兩部分來討論。

一、文質遞變

㈠語言差異與歷史敍述

知幾主張歷史敍述應「實錄直書」，因此對史家敍述歷史人物的語言，提出了「言必近眞」的要求。他認爲史家在敍述人物時，其所用語言應符合時代、地域及人物身份與性格，如此才能合乎歷史事實而不致發生歷史錯置現象。

首先，時代不同，則人物語言也應有所不同，知幾說如果「使周、秦言辭見於魏、晉之代，楚、漢應對行乎宋、齊之日。」，那就「僞修混沌，失彼天然，今古以之不純，眞僞由其相亂。」，並指出孫盛《魏氏春秋》記曹操的話，妄引《春秋》所載的夫差的話，「譏孫盛錄曹公平素之語，而全作夫差亡滅之詞。雖言似《春秋》而事殊乖越者矣。」⑳

又如《左傳》文公元年載江芊罵商臣曰：「呼！役夫，宜君王廢汝而立職。」《史記・留侯世家》載漢高祖罵酈食其曰：「豎儒，幾敗乃公事。」《魏略》載單固罵楊康曰：「老奴，汝死自其分。」《晉書・王衍傳》載山濤贊嘆王衍曰：「誰家生得寧馨兒！」知幾認爲「斯並當時侮嫚之詞，流俗鄙俚之說」，這類生動的口語，都是當時人物說話神態語氣的記載，但是世人卻以爲前面兩句「不失清雅」，而後面兩句「殊爲魯朴」，知幾解釋其原因說：「蓋楚、漢世隔，事已成古，魏、晉年近，言猶類今。已古者即謂其文，猶今者乃驚其質。」㉑隨著時代的演進，語言有文質不同的變化，歷史敍述應掌握歷史人物當時的語言，如實傳寫，才能逼眞。

其次，不同地域、民族的人，應有不同的方言俗語或民族語言。對於王劭《齊志》「多記當時鄙言」，知幾給予肯定，並贊許《齊志》保存方言俗語，「足以知甿俗之有殊，驗土風之不類」。㉒對於崔鴻《十六國春秋》、魏收《魏書》、牛弘《周書》，「必諱彼夷音，變成華語」，或「妄益文彩，虛加風物，援引《詩》《書》，憲章《史》《漢》」，而致夷族語言「華而失實」，便斥責曰：「過莫大焉」。㉓又《公羊傳》載晉靈公使勇士殺趙盾，見其方食魚飧。曰：「子爲晉國重卿而食魚飧，是子之儉也。吾不忍殺子」。知幾指出這句話是僞辭，他說：「齊密邇海隅，鱗介惟錯，故上客食肉，中客食魚，……蓋公羊生自齊邦，不詳晉物，以東土所賤，謂西州亦然。遂目彼嘉饌，呼爲菲食」㉔《公羊傳》載言的錯誤，是由於不察風俗地理之差異所引起的。

另外，知幾還注意人物的語言必須符合他們的身分和性格。他說：「假有辨如酈叟，吃若周昌，子羽修飾而言，仲由率爾而對」，不可「一概而書」。㉕粗魯鄙直的人和騷人墨客，語言質俗雅馴必有差別，如果寫粗直無學的人，凡出言妄引典誥古事，便會鬧出下面的笑話：「王平所識，僅通十字；霍光無學，不知一經。而述其言語，必稱典誥。良由才乏天然，故事資虛飾者矣。」「《宋書》稱武帝入關，以鎭惡不伐，遠方馮異；於渭濱游覽，追思太公。夫以宋祖無學，愚智所委，安能援引古事，以酬答羣臣者乎？」㉖

以上三方面，知幾都是從「言必近眞」着眼，不同時代、地區、民族，以及不同人文素養的人，其語言各有不同的特色，歷史敍述要能如實地把各種人物語言的特色表達出來，因此，知幾不時強調「適俗隨時」「因革損益」的載言原則，如〈因習〉篇說：

蓋聞三王各異禮，五帝不同樂，故傳稱因俗，《易》貴隨時。況史書者，記事之言耳。夫事有貿遷，而言無變革，此所謂膠柱而調瑟，刻船以求劍也。

〈摸擬〉篇說：

蓋語曰：世異則事異，事異則備異。必以先王之道持今世之人，此韓子所以著〈五蠹〉之篇，稱宋人有守株之說也。世之述者，銳志於奇，喜編次古文，撰敍今事，而巍然自謂五經再生，三史重出，多見其無識者矣。

〈雜說中〉篇「北齊諸史」條說：

古往今來，名目各異。區分壤隔，稱謂不同。所以晉、楚方言，齊、魯俗語，六經諸子，載之多矣。自漢已降，風俗屢遷，求諸史籍，差覩其事。或君臣之目，施諸朋友；或尊官之稱，屬諸君父。曲相崇敬，標以處士、王孫；輕加侮辱，號以僕夫、舍長。亦有荊楚訓多爲夥，廬江目橋爲圯。南呼北人曰傖，西謂東胡曰虜。渠、們、底、箇，江左彼此之辭；乃、若、君、卿，中朝汝我之義。斯並因地而變，隨時而革，布在方册，無假推尋。

並且反對史家盲目擬古、妄飾文采，爲示博雅而致所載言語失實，如〈言語〉篇說：

而後來作者，通無遠識，記其當世口語，罕能從實而書，方復追效昔人，示其稽古。是以好丘明者，則偏摸《左傳》；愛子長者，則全學史公。

又說：

夫天地長久，風俗無恆，後之視今，亦猶今之視昔。而作者皆怯書今語，勇效昔言，不其惑乎！苟記言則約附五經，載語則依憑三史，是春秋之俗，戰國之風，亙兩儀而並存，經千載其如一，奚以今來古往，質文之屢變者哉？

歷史敍述本應反映現實，對於史家「記其當世口語，罕能從實而書」，欲「追效昔人，示其稽古」，而「皆怯書今語，勇效昔言」，知幾當然不贊同。〈敍事〉篇中所提四個敍事方法，其中之一：「因言語而可知」，顯示「言必近眞」在反映現實外，尙有彰顯歷史人物具體鮮明形象的作用，此亦史家藉言敍事的重要方法。

(二)文學流風與歷史敍述

知幾性近於史，由《左傳》入手，不欲爲章句儒而志在理解大義。十二歲到十七歲，從《左傳》以降，讀《史記》、《漢書》、《三國志》，以至唐初諸實錄，其研讀重點即在「古今沿革」，硏讀方式是「觸類而觀，不假師訓」「鑽研究鑿，盡其利害」，知幾這種治學風格，有沿革時變的觀念，並不拘泥於一隅之見，因此《史通》的許多篇章都顯示了知幾的時間觀念。林時民指出〈載文〉〈敍事〉〈浮詞〉〈模擬〉〈覈才〉〈煩省〉等諸篇，知幾運用銳利的歷史眼光，洞灼中國史學洪流的幾個顯著時期，分別提出「上古」「中古」「近古」「近世」及「當代」等五個時間分期，其中論及文史關係頗便於掌握各個不同時代的史學發展與文風的蛻變。㉗

知幾說：「飾言爲文」，文字是記錄語言的符號，是一種經過修飾的語言，語言有文質的不同，同樣地，文字也有文質的區分。知幾運用其時間觀念觀察語言文字由合到分的趨勢，並且注意到文學流風對歷史敍述的影響。以下依時間的演進，從上古開始論述知幾的意見。

〈言語〉篇說：

> 尋夫戰國已前，其言皆可諷詠，非但筆削所致，良由體質素美。何以覈諸？至如「鶉賁」、「鸜鵒」，童豎之謠也；「山木」、「輔車」，時俗之諺也；「皤腹棄甲」，城者之謳也；「原田是謀」，輿人之誦也。斯皆芻詞鄙句，猶能溫潤若此，況乎束帶立朝之士，加以多聞博古之識者哉！則知時人出言，史官入記，雖有討論潤色，終不失其梗概者也。

戰國以前屬於上古時代。當時民間流行的童謠、時諺、城謳、輿誦等芻詞鄙句直接採入史書，史官只不過稍加潤飾而已，從「時人出言」到「史官入記」，其間「終不失其梗概」，這一段話顯示上古時書面語辭與口頭語辭相當接近，而且趨向於質樸的風格。

漢魏以後，語言和文字便日趨分離，知幾說：「逮漢、魏已降，周、隋而往，世皆尙文，時無專對。運籌畫策，自具於章表；獻可替否，總歸於筆札。宰我、子貢之道不行，蘇秦、張儀之業遂廢矣。」[28]數語指出自漢至隋，變口陳爲筆達的結果，書面語由口語型漸轉變爲文字型，書面文字漸重雕飾典雅與口頭語言質樸俚俗的區別越來越大。這種轉變最早是在兩漢，知幾曾引《文心雕龍・才略》的話說：「昔劉勰有云：『自卿、淵已前，多役才而不課學；向、雄已後，頗引書以助文。』然近史所載，亦多如是。」[29]書面文字漸重雕飾的趨勢，不僅表現在辭賦等文學作品上，也對歷史敍述產生了不良影響。

史家著作，適度的修飾文字，只要不妨其敍述內容之眞實是被允許的，但過度的雕飾則有傷敍述內容之純眞。知幾甚至認爲歷史敍述自漢以後比較注重華麗，是受到文學浮誇的影響，他指出漢以後的史書「大抵皆華多於實，理少於文，鼓其雄辭，誇其儷事。」㉚便是受到漢賦的鋪采摛文，魏晉南北朝駢體文講究辭藻、聲律、對偶的影響。

漢代「文體大變，樹理者多以詭妄爲本，飾辭者務以淫麗爲宗。譬如女工之有綺縠，音樂之有鄭、衞。」㉛，詩人墨客競相鋪采摛文，於是文壇上興起擬古藻飾的風氣，這種流風並已波及歷史敍述，〈敍事〉篇說：

> 昔文章既作，比興由生，鳥獸以媲賢愚，草木以方男女，詩人騷客，言之備矣。洎乎中代，其體稍殊，或擬人必以其倫，或述事多比於古。當漢氏之臨天下也，君實稱帝，理異殷、周；子乃封王，名非魯、衞。而作者猶謂帝家爲王室，公輔爲王臣。盤石加建侯之言，帶河申俾侯之誓。而史臣撰錄，亦同彼文章，假託古詞，翻易今語。潤色之濫，萌於此矣。

魏晉以後，知幾指出文壇上訛謬雷同之失有五：一曰虛設，二曰厚顏，三曰假手，四曰自戾，五曰一概。這五種缺失，足以嚴重影響歷史敍述「去邪從正之理，捐華摭實之義」，他說王沈《魏書》、魚豢《魏略》、裴子野《宋略》、何之元《梁典》，都是穢累之作，而陳壽《三國志》、干寶《晉紀》，雖「頗從簡約」，猶「時載浮訛，罔盡機要」，唯有王劭《齊志》「文皆詣實，理多可信」。㉜但是當時的人比較裴子野《宋略》和王劭《齊志》時，皆「譽裴而共詆王氏」，原因是「江左事雅，裴筆所以專工；中原迹穢，王文由其屢鄙」，議者因以文飾爲工，質樸爲鄙，遂譽裴而詆王。㉝

由於文風日尙華靡，影響史書文字也漸重文飾，知幾說：「始自兩漢，迄乎三國，國史之文，日傷煩富。逮晉已降，流宕逾遠。」㉞尤其南朝文壇上追求駢偶之文風，影響歷史敍述最不可取，他表示「自梁室云季，雕蟲道長。平頭上尾，尤忌於時；對語儷辭，盛行於俗。始自江外，被於洛中。而史之載言，亦同於此。」㉟史書刻意使用儷辭，結果「自茲已降，史道陵夷，作者蕪音累句，雲蒸泉湧。其爲文也，大抵編字不隻，捶句皆雙，修短取均，奇偶相配。故應以一言蔽之者，輒足爲二言；應以三句成文者，必分爲四句。彌漫重沓，不知所裁。」㊱

至於唐初史書的文字更趨向於華麗浮靡，則與當時一些文士詞人參加史書的撰寫有關。據《舊唐書·房玄齡傳》記載唐太宗時，「史官多是文詠之士，好採詭謬碎事，以廣異聞；又所評論，競爲綺豔，不求篤實」㊲，知幾對此大爲不滿，〈論贊〉篇曾有一段批評論及此事，他說：

大唐修《晉書》，作者皆當代詞人，遠棄史、班，近宗徐、庾。夫以飾彼輕薄之句，而編爲史籍之文，無異加粉黛於壯夫，服綺紈於高士者矣。

〈覈才〉篇也提到南朝以至唐初，文風惡質而好文，凡是拜授史官，總是「必推文士」，並且「舉俗共以爲能」，而間有「術同彪、嶠，才若班、荀」的史才，反倒「皆取窘於流俗，見嗤於朋黨」，於是譏嘲那些不稱職的史官——文士而修史者，「以徐公文體而施諸史傳，亦猶灞上兒戲，異乎眞將軍」，斥責那些監修貴臣輕授文士史職，是「用君子而以小人參之，害霸之道者也」，駡那些矜炫駢文的修史者是「小人」。

綜上所述，我們得到兩個結論：第一，文學流風由上古的淳樸、微婉，到中古變爲虛矯，而寖至近古以後沿至知幾當代，則變爲崇尚柔靡、浮豔、綺麗、華美。第二，文風傾向華靡，世俗尚文而輕質，結果使得文筆浸染史筆的現象愈來愈嚴重，知幾認爲歷史敍述受到文學流風的影響，與歷史求眞務實的精神相距日遠。

最後，要說明的是歷史敍述受文學流風的影響，是不可避免，知幾曾引傅玄的話說：「觀孟堅《漢書》，實命代奇作。及與陳宗、尹敏、杜撫、馬嚴撰《中興紀傳》，其文曾不足觀。豈拘於時乎？不然，何不類之甚者也？」指出班固與他人合撰《中興紀傳》時，也不免受時俗文風所左右，因此感嘆說：「嗟乎！拘時之患，其來尚矣。斯則自古所歎，豈獨當今者哉！」㊳就知幾本人撰寫《史通》而言，也印證了他自己「拘時之患」這句話，清人浦起龍說：「《史通》極詆儷詞，卒亦自爲俳體，正所謂拘於時者乎？」㊴知幾反對用駢文寫史，而《史通》一書卻多用駢體文寫成，可見時代文風對歷史敍述的影響是不可避免的，所謂「非言之難而行之難也」㊵，知幾早已自明。因此，他所攻訐的對象主要不是爲時尚所拘的史家，而是專以雕蟲小技爲務的文士修史，使得史道陵夷，史書非復史書而更成文集。

二、文質並重

班固《漢書・司馬遷傳贊》說：「自劉向、揚雄博極群書，皆稱遷有良史之才，服其善序事理，辨而不華，質而不俚，其文質，其事核，不虛美，不隱惡，故謂之實錄。」班固對「實錄」的定義，包括內容和形式兩方面，內容上即綜合董狐「書法不隱」及齊太史「據事直書」的理念爲「不隱美，不隱惡」，形式上則要求歷史敍述的文字「善序事理，辨而不華，質而不俚」，「其文質，其事核」則指實錄的文字質樸雅正，能切中事理。

唐初《漢書》之學頗盛，趙翼《廿二史劄記》卷二十「唐初三禮漢書文選之學」條指出，唐人繼承隋人益加考究《漢書》之業。㊶知幾博讀群史，對於《漢書》自不陌生，其實錄觀念中，對於文字方面文質的要求，顯然是受到班固的影響，如〈鑒識〉篇說：

> 夫史之敍事也，當辯而不華，質而不俚，其文直，其事核，若斯而已可也。必令同文舉之含異，等公幹之有逸，如子雲之含章，類長卿之飛藻，此乃綺揚繡合，雕章縟彩，欲稱實錄，其可得乎？

強調敍事的文字，「當辯而不華，質而不俚，其文直，其事核」，相關的言論又見於〈敍事〉篇：

> 夫史之稱美者，以敍事爲先。至若書功過，記善惡，文而不麗，質而非野，使人味其滋旨，懷其德音，三復忘疲，百遍無斁，自非作者曰聖，其孰能與於此乎？
>
> 昔夫子有云：「文勝質則史。」故知史之爲務，必藉於文。自五經已降，三史而往，以文敍事，可得言焉。而今之所作，有異於是。其立言也，或虛加練飾，輕事雕彩；或體兼賦頌，詞類俳優。文非文，史非史，譬夫烏孫造室，雜以漢儀，而刻鵠不成，反類於鶩者也。

在知幾的觀念裏，不管是歷史敍述或者文學創作，如欲傳諸諷誦，都需要雕飾文字，但是在歷史敍述求實錄的先決條件下，其文采便受到一定的限制，不能盡如文學創作，馳騁練飾雕彩之能，理想的歷而不華，質而不俚」「文而不麗，質而非野」的要求，重視質樸，但反對俚野；雖反對綺靡，但不排斥適當的文采。這種折衷於文質的論調，不僅承襲自班固，同時也反映在唐初史家的言論，如李延壽《北史．文苑傳序》云：

暨永明天監之際，太和天保之間，洛陽江左，文雅尤盛。彼此好尚，雅有異同。江左宮商發越，貴於清綺；河朔詞義貞剛，重乎氣質。氣質則理勝其詞，清綺則文過其意。理深者便於時用，文華者宜於詠歌。此其南北詞人得失之大較也。若能掇彼清音，簡茲累句，各去所短，合其兩長，則文質彬彬，盡美盡善矣。

令狐德棻《周書．王褒庾信傳論》云：

原夫文章之作，本乎情性，覃思則變化無方，形言則條流遂廣。雖詩賦與奏議異軫，銘誄與書論殊塗，而撮其指要，舉其大抵，莫若以氣爲主，以文傳意，考其殿最，定其區域，摭六經百氏之英華，探屈宋卿雲之祕奧。其調也尚遠，其旨也在深，其理也貴當，其辭也欲巧。然後瑩金璧，播芝蘭，文質因其宜，繁約適其變，權衡輕重，斟酌古今，和而能壯，麗而能典，煥乎若五色之成章，紛乎猶八音之繁會。夫然，則魏文所謂通才，足以備體矣；士衡所謂難能，足以逮意矣。

唐在政治上統一了南北朝紛亂對峙之局，對於文字風格的要求，自然會走向一個南北融合、剛柔並取，和而能壯、麗而能典、平穩對稱的新氣象，因此既反對綺靡浮華，也反對粗野鄙俗。「文質並重」的論調，不僅出於對六朝文風的修正，也可以說是史家自古以來大致類似的主張。

知幾論歷史敍述的文采，強調「文質並重」的同時，通常與「實」「理」「事」「義」等概念相聯繫。如批評《公羊》《穀梁》二傳敍事「榛蕪溢句，疣贅滿行。華多而少實，言拙而寡味」㊷，批評令狐德棻《周書》「其書文而不實，雅而無檢，眞迹甚寡，客氣尤煩。」㊸，贊美《漢書》「辭惟溫雅，理多愜當」，認爲王劭《齊志》「志在簡直，言兼鄙野，苟得其理，遂忘其文」並無不可，㊹譏笑牛弘《周書》「雖文皆雅正、而事悉虛無」㊺，反對裴子野《宋略》「詞皆虛飾，義不足觀」㊻。顯然，知幾主張「文質並重」另一積極意義，當求歷史敍述的形式和內容兩方面的統一，甚至有內容決定形式，形式符合內容的意味。

貳、修辭論

劉知幾「早游文學」，「幼喜詩賦」㊼，並「以善文詞知名」於時㊽，深厚的文學素養使得《史通》在論述歷史敍述的方法時，提出了頗有系統的修辭理論。這些修辭理論，完全從史學着眼，不同於前人從文學或文章學等角度來討論修辭，這是一種突破，也是一種貢獻。

一、修辭的種類

修辭就是講究如何運用語言文字，使意義的表達更爲明白生動，因此修辭應包括修語辭和修文辭兩種。

〈敍事〉篇說：「古者行人出境，以詞令爲宗；大夫應對，以言文爲主。況乎列以章句，刊之竹帛，安可不勵精雕飾，傳諸諷誦者哉？」基本上，知幾認爲由口頭語，形諸書面文字，甚至謀句成章，撰寫史書，都需要雕飾，亦即修辭的工夫。這裏便已分出修辭的兩大類——修語辭和修文辭。

〈言語〉篇一開始，知幾就舉出上古代重視修語辭的事實：

蓋樞機之發，榮辱之主，言之不文，行之不遠，則知飾詞專對，古之所重也。夫上古之世，人惟樸略，言語難曉，訓釋方通。是以尋理則事簡而意深，考文則詞艱而義釋，若《尚書》載伊尹之訓，皐陶之謨，〈洛誥〉、〈康誥〉、〈牧誓〉、〈泰誓〉是也。周監二代，郁郁乎文。大夫、行人，尤重詞命，語微婉而多切，言流靡而不淫，若《春秋》載呂相絕秦，子產獻捷，臧孫諫君納鼎，魏絳對戮楊干是也。戰國虎爭，馳說雲湧，人持弄丸之辯，家挾飛鉗之術，劇談者以譎誑爲宗，利口者以寓言爲主，若《史記》載蘇秦合從，張儀連横，范睢反間以相秦，魯連解紛而全趙是也。

上古之世，「言」「文」合一，修語辭和修文辭並重，漢魏以後「言」「文」分途，一般人只重視修文辭，於是修語辭便慢慢沒落了，知幾接著表示這種轉變：

逮漢、魏已降，周、隋而往，世皆尙文，時無專對。運籌畫策，自具於章表；獻可替否，總歸於筆札。宰我、子貢之道不行，蘇秦、張儀之業遂廢矣。

又〈雜說下〉篇「雜識」條云：

昔魏史稱朱異有口才，摯虞有筆才。故知喉舌翰墨，其辭本異。而近世作者，撰彼口語，同諸筆文。斯皆以元瑜、孔璋之才，而處丘明、子長之任。文之與史，何相亂之甚乎？

這裏分別語辭和文辭爲喉舌之辭和翰墨之辭，〈雜說下〉篇「雜識」條下便強調史書修辭的重要：

「禮云禮云，玉帛云乎哉？」史云史云，文飾云乎哉？何則？史者固當以好善爲主，嫉惡爲次。若司馬遷、班叔皮，史之好善者也；晉董狐、齊南史，史之嫉惡者也。必兼此二者，而重之以文飾，其唯左丘明乎！自茲已降，吾未之見也。

理想的歷史敍述，就是所謂的「實錄」，除內容能直書善惡外，亦當有某種程度的「文飾」——亦即修辭的工夫，而最能符合這個標準的，知幾首推《左傳》。

二、修辭的原則

前文分析知幾認爲歷史敍述自漢魏以後比較注重華麗，原因之一是受到文學的影響，如漢賦的鋪采摛文，魏晉南北朝駢文的講究聲律、對偶，以及漢魏間擬古的風氣，都使歷史敍述變得「華多於實，理少於文」。到了唐代，史館又延攬文士詞人修史，文人運用四六體的文詞寫史，「好采碎事，競爲綺麗」，唐初史學界也趨向華麗浮靡。

從修辭的效率來論，知幾反對歷史敍述煩詞冗句日益增多的現象，〈敍事〉篇說：

始自兩漢，迄乎三國，國史之文，日傷煩富。逮晉已降，流宕逾遠。尋其冗句，摘其煩詞，一行之間，必謬增數字；尺紙之內，恆虛費數行。夫聚蚊成雷，羣輕折軸，況於章句不節，言詞莫限，載之兼兩，曷足道哉？

針對修辭的效率，以及史學界偏重文字華麗的風氣，知幾基於「文質並重」的觀念，對史書篇章字句的要求，較傾向於「質樸」，並提出「簡要」的總原則。

〈敍事〉篇說：

夫國史之美者，以敍事爲工，而敍事之工者，以簡要爲主。簡之時義大矣哉！歷觀自古，作者權輿，《尙書》發蹤，所載務於寡事；《春秋》變體，其言貴於省文。斯蓋澆淳殊致，前後異迹。然則文約而事豐，此述作之尤美者也。

所謂的「簡要」，並不專指文字的多寡，乃指「文約而事豐」，即希望運用最經濟的文字以包羅最豐富的歷史內容。知幾認爲寫史的關鍵在敍事，而敍事則尚簡要，他一方面追述古代《尙書》《春秋》爲敍事簡體的源頭，另一方面提出「簡要」的要求。《左傳》之所以被知幾推爲「述者之冠冕」，乃因「其言簡而要，其事詳而博」，[49]符合他「文約而事豐」的要求。

歷史敍述以「實錄直書」爲依歸，在不悖離歷史事實的前題下，史書之講究修辭，終究不能如文學作品以「雕章縟彩」「對語儷詞」爲尙，知幾認爲史書修辭的最高境界是：「辯而不華，質而不俚」「文而不麗，質而非野，使人味其滋旨，懷其德音，三復忘疲，百遍無斁」。[50]但是如何達到這種理想境界？下面嘗試說明知幾的歷史修辭法。

三、修辭的方法

知幾論修辭的方法，大概可分作兩大類：一是藉文辭的調整及運用，使內容達到明確通暢，形式求得平均穩密，如剪裁、佈局之法。一是藉文辭的修飾及運用，將內容生動豐富地表現出來，如委婉、節縮之法。據陳望道《修辭學發凡》，前一類稱作消極修辭，旨在意義分明，後一類稱爲積極修辭，意在令人玩味。⑤¹茲分別說明如下：

㈠消極的修辭

第一，用詞準確。

知幾認爲歷史敍述的內容欲求正確，必要求用詞準確達意。如「弒」「殺」二字同義，但適用對象不同。按《春秋》之用例：「凡在人倫不得其死者，邦君已上皆謂之弒，卿士已上通謂之殺。」但是《春秋》一書卻在桓公二年時記：「宋督弒其君與夷及其大夫孔夫」，僖公十年時記：「晉里克弒其君卓及其大夫荀息」，〈惑經〉篇中，知幾對這二條記載提出異議說：「夫臣當爲殺，而稱及，與君弒同科。苟弒、殺不分，則君臣靡別者矣。」此例可以說明知幾對用詞的重視。

知幾主張用詞準確，出自「名實相副」的求實精神，〈題目〉篇針對史書的書名和篇名考其實質，以及〈稱謂〉篇本於正名思想，論歷史人物的稱謂、帝王的廟號、名諱等諸例，在修辭上，其實都是用詞準確的意思。

第二，完整連貫。

〈惑經〉篇說：「書事之法，其理宜明。使讀者求一家之廢興，則前後相會；討一人之出入，則始末可尋。」

始末可尋。」歷史敍述的內容要能正確地表達，除了用詞準確外，敍述的邏輯也很重要，如果敍述時語無倫次，不能通順，則內容齟齬謬誤便無法避免。在修辭上，此部分稱作謀篇佈章。

〈敍事〉篇中，知幾曾分析篇章的組成說：「夫飾言者爲文，編文者爲句，句積而章立，章積而篇成。篇目旣分，而一家之言備矣。」可見他相當重視史書敍述的組織與完整，〈五行志錯誤〉篇指出班固《漢書．五行志》寫法上的錯誤說：「敍事乖理者，其流有五：一曰徒發首端，不副徵驗；二曰虛編古語，討事不終；三曰直引時談，竟無它述；四曰科條不整，尋繹難知；五曰標舉年號，詳略無準。」其中前三項錯誤都屬於敍事不完整，有首無尾之弊，第四項錯誤屬於敍事雜亂無章，不清晰不連貫之病。知幾就上述五項錯誤舉了兩個例子，其一：

〈志〉曰：《左氏》昭公十五年，晉籍談如周葬穆后。旣除喪而燕。叔向曰：王其不終乎！吾聞之，所樂必卒焉。今王一歲而有三年之喪二焉，於是乎與喪賓燕，樂憂甚矣。禮，王之大經也。一動而失二禮，無大經矣，將安用之。案其後七年，王室終如羊舌所說，此即其效也，而班氏了不言之。此所謂徒發首端，不副徵驗也。

其二：

其述庶徵之恆寒也，先云釐公十年冬，大雨雹。隨載劉向之占，次云《公羊經》曰「大雨雹」，續書董生之解。案《公羊》所說，與上奚殊，而再列其辭，俱云「大雨雹」而已。又此科始言大雪與雹，繼言殞霜殺草，起自春秋，訖乎漢代。其事既盡，仍重敍雹災。分散相離，斷絕無趣。夫同是一類，而限成二條。首尾紛拏，章句錯糅。此所謂科條不整，尋繹難知者也。

第一個例子指出〈五行志〉引述《左傳》的記載，有頭無尾的錯誤。《左傳》敍晉王不遵守喪禮，叔向預言其必因失禮而遭受懲罰，結果如所預言，而班固轉述此事並未交代後來的結果。第二個例子指出〈五行志〉同述雹災之事，前載劉向之占，後書董生之解，分散相離，斷絕無趣，首尾紛拏，章句錯糅。此二例即要求敍事必須完整連貫、條理清晰，避免雜亂無章。

第三，折中均平。

〈書事〉篇說：「夫記事之體，欲簡而且詳，疏而不漏。若煩則盡取，省則多捐，此乃忘折中之宜，失均平之理。」折中均平就是要求敍事煩省適中，就修辭而言就是剪裁。知幾歸納魏晉以來的史書敍事煩雜的現象有四種：㈠侈寫符瑞，㈡常朝入紀，㈢盧銜備載，㈣贅錄世官。他表示：「考茲四事，以觀今古，足驗積習忘返，流宕不歸，乖作者之規模，違哲人之準的也。孔子曰：『吾黨之小子狂簡，斐然成章，不知所以裁之。』其斯之謂矣。」（〈書事〉篇）。這就是說，史家當善於剪裁史料，敍事宜守折中均平之理。

但是敍事尙簡之義，並非一味要求字少文省，〈煩省〉篇中，知幾論史書的煩省云：「但當要其事有妄載，苦於榛蕪，言有闕書，傷於簡略。」因此對於「必量世事之厚薄，限篇第以多少」的言論，頗不以爲然，像干寶《史議》獨歸美《左傳》，云：「丘明能以三十卷之約，括囊二百四十年之事，靡有孑遺。斯蓋立言之高標，著作之良模也。」以及張輔《班馬優劣論》說馬優班劣的理由是：「遷敍三千年事，五十萬言，固敍二百四十年事，八十萬言。是班不如馬也。」都是從字數來論斷史書優劣，知幾不完全同意這種衡量法。

此外，他還分析歷史敍述的煩省，有不可抗逆的原因：㈠時代的關係，如荀卿所說：「遠略近詳」，近代史的撰述煩於前代史，乃「勢使之然也」；㈡與史家的知識有關，如「謝承尤悉江左，京洛事缺於三吳；陳壽偏委蜀中，巴、梁語詳於二國」；㈢與國祚的長短，史料的收集是否方便有關，如南朝宋、齊、梁、陳諸史，「或地比禹貢一州，或年方秦氏二世」，因爲「地之偏小，年之窘迫，適使作者採訪易洽，巨細無遺，耆舊可詢，隱諱咸露」，此正是「小國之史，所以不減於大邦」的原因。

以上由知幾討論史書的煩省，可以得知，歷史敍述應掌握折中均平之理，視情況隨機應變。剪裁平穩順當，契合內容的需要，是最起碼的要求。

㈡積極的修辭

積極的修辭和消極的修辭不同。消極的修辭只在使人「理會」，使人理會只需將意思平穩順暢地表達出來即可；積極的修辭，卻要使人「感受」，知幾所謂史之敍事，要「使人味其滋旨，懷其德音，三復忘疲，百遍無斁」的意思，就是使人感受文字所寄寓的弦外音、言外意。配合這個目標，知幾提出下列幾個具體的方法。

第一，敍事。

事有大小、輕重、多寡，歷史敍述貴在「舉其宏綱，存其大體」，尤忘「絲毫必錄，瑣細無遺」⑫，因此必須講究敍事的方法。〈敍事〉篇中，知幾提出四個敍事的方法，並有實例加以說明：

蓋敍事之體，其別有四：有直紀其才行者，有唯書其事迹者，有因言語而可知者，有假讚論而自見者。至如《古文尚書》稱帝堯之德，標以「允恭克讓」；《春秋》《左傳》言子太叔之狀，目以「美秀而文」。所稱如此，更無他說，所謂直紀其才行者。又如《左氏》載申生爲驪姬所譖，自縊而亡；班史稱紀信爲項籍所圍，代君而死。此則不言其節操，而忠孝自彰，所謂唯書其事迹者。又如《尚書》稱武王之罪紂也，其誓曰：「焚炙忠良，刳剔孕婦。」《左傳》紀隨會之論楚也，其詞曰：「蓽輅藍縷，以啓山林。」此則才行事迹，莫不闕如，而言有關涉，事便顯露，所謂因言語而可知者。又如《史記・衞青傳》後，太史公曰：蘇建嘗責大將軍不薦賢待士。《漢書・孝文紀》末，其讚曰：「吳王詐病不朝，賜以几杖。」此則傳之與紀，並所不書，而史臣發言，別出其事，所謂假贊論而自見者。然則才行、事迹、言語、讚論，凡此四者，皆不相須。若兼而畢書，則其費尤廣。

㈠直紀其才行，知幾舉《尚書・堯典》直稱帝堯之德，及《左傳》襄公三十一年直言子太叔之狀兩個例子，這種根據人物才行直接說出的方式，是一種開門見山的敍事法。㈡唯書其事迹，知幾引《左傳》僖公四年載申生因驪姬譖言蒙弒父之名，自縊而死，以及《漢書・高祖本紀》載劉邦爲項羽所圍，紀信代君而死爲例，這種藉事實的敍述，以表彰人類孝忠等道德情操的敍事法，修辭格上稱作「委婉」。

㈢因言語而可知，屬於藉言代敍法，此處知幾藉《尚書・周誓》武王之稱紂罪行，及《左傳》宣公十二年隋會論楚之言，說明藉言敍事的方式。㈣假讚論而自見，這種敍事方式，是補紀、傳本文之所闕，不應和本文的敍事重複，此處舉《史記・衞青傳》的「太史公曰」，及《漢書・孝文帝本紀》的「贊曰」二例，說明讚論應具有補苴遺漏的作用。

知幾提供上述四個敍事方法，並強調敍事時只須選取一種最恰當，最能表達事義的方式着手，其餘三種則不要重複使用，這種爲避免重複的單調，而特意變換敍事的方法，是相當進步的修辭技巧。

關於敍事法的靈活運用，知幾首推〈言事相兼〉的《左傳》，〈雜說上〉篇「左氏傳」條說：

> 《左氏》之敍事也，述行師則簿領盈視，哤聒沸騰，論備火則區分在目，修飾峻整；言勝捷則收獲都盡，記奔敗則披靡橫前；申盟誓則慷慨有餘，稱譎詐則欺誣可見；談恩惠則煦如春日，紀嚴切則凜若秋霜；敍興邦則滋味無量，陳亡國則凄涼可憫。或腴辭潤簡牘，或美句入詠歌，跌宕而不羣，縱橫而自得。若斯才者，殆將工侔造化，思涉鬼神，著述罕聞，古今卓絕。

總之，靈活運用敍事方法，一方面可減少敍述的單調和枯燥，另方面可增加文字的可讀性和說服力。

第二，省字句。

〈浮詞〉篇說：「夫詞寡者出一言而已周，才蕪者資數句而方浹。……蓋凫脛雖短，續之則悲；史文雖約，增之反累。加減前哲，豈容易哉！昔夫子斷唐、虞以下迄於周，翦截浮詞，撮其機要。故帝王之道，坦然明白。」在尚簡的修辭原則下，知幾當然主張删繁爲簡，翦截不必要的浮詞，尤其南朝以來駢風的影響，蕪音累句有風起之勢，知幾欲撥浮華，於是提出了「省字省句」的要求，〈敍事〉篇說：

又敍事之省，其流有二焉：一曰省句，二曰省字。如《左傳》宋華耦來盟，稱其先人得罪於宋，魯人以爲敏。夫以鈍者稱敏，則明賢達所嗤，此爲省句也。《春秋經》曰：「隕石於宋五。」夫聞之隕，視之石，數之五。加以一字太詳，減其一字太略，求諸折中，簡要合理，此爲省字也。其有反於是者，若《公羊》稱郤克眇，季孫行父禿，孫良夫跛，齊使跛者逆跛者，禿者逆禿者，眇者逆眇者。蓋宜除「跛者」已下句，但云「各以其類逆」。必事加再述，則於文殊費，此爲煩句也。《漢書．張蒼傳》云：「年老，口中無齒。」蓋於此一句之內去「年」及「口中」可矣。夫此六文成句，而三字妄加，此爲煩字也。然則省句爲易，省字爲難，洞識此心，始可言史矣。苟句盡餘剩，字皆重複，史之煩蕪，職由於此。

省句之例詳見《左傳》文公十五年，省字之例詳見《春秋》經文僖公十六年，煩句之例應見於《穀梁傳》成公元年，又查煩字之例《漢書．張蒼傳》並無「年老」二字，可能唐初知幾所見《漢書》有此二字。

從修辭的手法來論，省句之例用的是「委婉」的修辭格，省字之例用的是「緊縮」的修辭格。「委婉」又稱「婉轉」「婉曲」，運用委婉的方法，是藉他事以喻本事，不直接說出本事，而採用曲折含蓄的話來暗示，其特點是：意在言外，使人思而得之。「緊縮」又稱「節縮」「省略」，就是將詞組或句子中的字，加以精簡壓縮的意思，其作用能使語言簡潔明快。至於知幾所舉煩句之例，其實是一種「複辭」的修辭手法，運用得當可以增強文氣及文章節奏感，但知幾卻視爲煩句，「於文殊費」，顯然這是從「尚簡」的原則所以提出刪改，《史通》有〈點煩〉篇，就是針對歷史敍述中的煩文煩句加以刪改的。知幾認爲歷史敍述不必「虛益散辭，廣加閑說」，眞正派得上用場的，不過「一言一句」而已，因此主張省字省句，反對煩句煩字。

第三，用晦。

省字省句的作用在使「文約」，但「文約」之中要包含「事豐」，要兼達「文約而事豐」的標準，知幾提出了用晦的主張。〈敍事〉篇說「夫能略小存大，舉重明輕，一言而巨細咸該，片語而洪纖靡漏，此皆用晦之道也。」由此看來用晦是指歷史敍述的文字簡潔有力，而內容豐富深刻，能收到言不盡意，意在言外的效果，這種修辭的手法叫做「委婉」，但是從知幾所舉實例來看，卻不限於「委婉」一法。

就《尚書》用晦之例，知幾舉了四個例子：㈠〈虞書〉云：「帝乃殂落，百姓如喪考妣。」這個例子就是修辭法中的「譬喩」，以「如喪考妣」比喩百姓對虞舜的愛戴。㈡〈夏書〉云：「啓呱呱而泣，予不子。」這個例子用的是修辭法中的「委婉」，以夏禹之忘家寫其憂國之勤。㈢〈周書〉以「血流漂杵」形容武王伐紂時之慘烈，這是用「誇張」的修辭法。㈣〈虞書〉云：「四罪而天下咸服。」一句中「四罪」指舜流共工於幽州，放驩兜於崇山，竄三苗於三危，殛鯀於羽山；「天下咸服」指天下之人咸服舜之用刑以當其罪。這個例子就是用修辭法中的「緊縮」。

就《左傳》用晦之例，知幾舉宣公十六年「士會爲政，晉國之盜奔秦」，僖公二年「邢遷如歸，衞國忘亡」，莊公十二年「犀革裹之，比及宋，手足皆見」，宣公十二年「三軍之士，皆如狹纊」，所引皆屬於「含蓄」的修辭法。第一個例子藉晉盜奔齊以明士會之善政，第二個例子藉「如歸」、「忘亡」側寫齊桓公安撫的謀略，第三個例子藉宋人追殺弑君元凶以寫宋人之義勇，第四個例子寫軍士感悅楚王的慰勉而以「如狹纊」來表示。

就《史記》用晦之例，譬如〈淮陰侯列傳〉中言高祖無蕭何，如失左右手，乃寫高祖對蕭何的倚重，這是用「譬喻」的修辭法。〈項羽本紀〉中寫漢兵敗績，而用「睢水爲之不流」來比喻，這是用「誇張」的修辭法。

以上知幾所舉的例子有一共同特點，就是不直接說明本事，而採用曲說手法，寓以弦外之音，言外之意，給讀者聯想、想像的空間，所以知幾說：「斯皆言近而旨遠，辭淺而義深，雖發語已殫，而含意未盡。使夫讀者望表而知裏，捫毛而辨骨，覩一事於句中，反三隅於字外。晦之時義，不亦大哉！」並比喻用晦之道，「譬如用奇兵者，持一當百，能全克敵之功。」

第四，用虛。

爲增加敍述的活潑性，知幾已注意到助詞的使用，〈浮詞〉篇說：

夫人樞機之發，亹亹不窮，必有徐音足句，爲其始末。是以伊、惟、夫、蓋，發語之端也；焉、哉、矣、兮，斷句之助也。去之則言語不足，加之則章句獲全。而史之敍事，亦有時類此。故將述晉靈公厚斂雕牆，則且以不君爲稱；欲云司馬安四至九卿，而先以巧宦標目。所謂說事之端也。又書重耳伐原示信，而續以一戰而霸，文之教也；載匈奴爲偶人象郅都，令馳射莫能中，則云其見憚如此。所謂論事之助也。

雖然虛字的使用，早在知幾之前的劉勰便已論及，《文心雕龍・章句》把虛字分爲三大類：㈠語首助詞，所謂「發端之首唱」；㈡語中助詞，所謂「劄句之舊體」；㈢語尾助詞，所謂「送末之常科」。但知幾論章句的虛字，則有更進一步的發揮，從他舉出的實例來看，知幾發揮了用虛的概念，應用在歷史敍述上，變成一種達意的技巧。53

以《左傳》爲例，宣公二年云：「晉靈公不君，厚斂以雕牆，從臺上彈人而觀其辟丸也。」這段記載先說晉靈公有失爲君之道，然後舉其厚斂人民大事雕牆之事實；知幾說先稱晉靈公「不君」，乃「說事之端」，相當於句子中「發語之端」的助詞。又僖公二十七年云：「晉侯（重耳）始入而教其民。……將用之。子犯曰：『民未知信，未宣其用。』於是乎伐原以示之信。……民聽不惑而後用之。出谷戍，釋宋圍。一戰而霸，文之教也。」這段記載先敍述重耳教民情形，然後以「一戰而霸，文之教也」一句話總結，知幾說末了這一句話，乃「論事之助」，相當於句子中「斷句之助」的助詞。這類在敍述當中，具有提頓作用的文字，雖是浮詞，然有助於文義的完足，知幾特別肯定其價值。

第五，模擬。

知幾認爲歷史敍述，學古繼前是需要的。開始有所師範，而後才能創新。〈摸擬〉篇說：「夫述者相效，自古而然」「史臣注記，其言浩博，若不仰範前哲，何以貽厥後來？」就是這個意思。他提出兩種模擬的方式：一曰貌同而心異，二曰貌異而心同。前者指形同，是機械的模擬，只求表面文辭相同，而書法、筆法，實質上卻完全相反背離；後者指神似，雖然語言文字不同，但書法、筆法，實質上卻相同。

例如：《左傳》僖公二年載：「刑遷如歸，衞國忘亡」這是指齊桓公保存衞國文物，使其「上下安堵，不失其物」，因而使「衞國忘亡」。此例又見〈敍事〉篇用晦之道，這裏指干寶《晉紀》載晉國滅吳，使吳亡國之事，不顧史實性質不同，機械套用「忘亡」之語，寫成「吳國旣滅，江外忘亡」，這個貌同而心異之例，指文辭相同而筆法全異。

又如：《左傳》宣公十二年敍述晉敗於邲，士兵們爭先恐後上船的情形，不直說「攀舟亂，以刃斷指」，而說：「上軍、下軍爭舟，舟中之指可掬」，這種敍事片言以蔽全形的筆法，就是〈敍事〉篇所說的用晦之道：「一言而巨細咸該，片語而洪纖靡漏」。後來的王劭《齊志》敍述高季式破敵於韓陵，追奔逐北，不直言「奮槊深入，擊刺甚多」，而能模擬《左傳》的筆法，寫成：「夜半方歸，槊血滿袖」，「槊血滿袖」與「舟指可掬」，雖言辭不同，但均爲「委婉」的修辭格，這就是貌異而心同之例。

知幾共舉六個例子說明形同的模擬，七個例子說明神似的模擬，以上各以一例爲代表，說明如上。

最後知幾指出「貌異而心同者，模擬之上也；貌同而心異者，模擬之下也。」，可知其模擬的積極意義，乃指學習前代歷史敍述優秀的書法、筆法。

叁、小結

關於史家歷史敍述時，敍述人物的語言或敍述事實的文字，《史通》都有明確的指示：記錄語言方面，提出「言必近眞」的要求，配合以「適俗隨時」的作法；敍述文字方面，提出「辨而不華，質而不俚」的要求，實際作法就是修辭。知幾認爲歷史敍述欲傳諸諷誦，必須講究修辭，在不傷害文義的前題下，知幾針對歷史敍述提出一系列修辭技巧，以現代的修辭學去衡量，知幾那些方法包括了許多修辭格，這些修辭方法都從「尙簡」這個原則輻射出來的，就其所舉實例看來，知幾最提倡「委婉」的修辭格，其他還有節縮、比喩、誇張。唯誇張之例，知幾舉〈泰誓〉載武王伐紂而至「血流漂杵」，此修辭法正是〈暗惑〉篇批評《東觀漢記》、魏世諸小書記載失實的原因，這是知幾論證上的疏失，不過也反映了歷史敍述實踐上的困難。

【附註】

① 見《史通通釋》〈暗惑〉〈雜述〉〈雜說中〉「諸晉史」條，頁五八八、二七七、四八〇。

② 劉勰著《文心雕龍》，自己不言成書的年代，研究《文心》成書年代大抵分爲兩派：一派認爲《文心》始撰於齊而成於

梁初。此說折衷於「書成齊末」與「書成梁代」之論者間，而傾向於後者，如施助、廣信、葉晨暉。一派認爲成書於齊末，以清劉毓松爲代表，李詳、范文瀾、楊明照、郭紹虞、潘重規、王更生等均同意此說。見王更生《文心雕龍導讀》，「文心雕龍成書的年代」一節言《文心》成書不晚於齊和帝中興元、二年間，西元五〇一——五〇二年，頁二四——二九。

③ 由《史通・序》景龍四年（唐中宗復辟六年，睿宗元年），可知史通成書不晚於西元七一〇年。

④ 見《文史通義》，頁五八五。

⑤ 參見余英時〈漢晉之際士之新自覺與新思潮〉，及逯耀東〈魏晉玄學與個人意識醒覺的關係〉二文。

⑥ 見《文史通義・說林》，頁一一七。

⑦ 參見逯耀東先生〈魏晉別傳的時代性格〉一文，收在《國際漢學會議論文集》歷史考古組。

⑧ 薛鳳昌《文體論》及莊伯潛《文體論纂要》二書有關六朝辨析文體的著作部分，僅列出晉摯虞《文章流別論》、任昉《文章緣起》、劉勰《文心雕龍》、蕭統《昭明文選》，其實據《四庫提要・詩文評序》這段話，則辨體觀念更早可推至曹丕〈典論論文〉、陸機〈文賦〉。

⑨ 見王瑤《中古文學史論》，頁一二四—一五二。

⑩ 此依王更生《文心雕龍研究》第八章「文體論」所統計，頁三一三。

⑪ 見《少室山房筆叢》卷五，史書佔畢一。（四庫本，冊八八六，頁二二六）又明・王惟儉《史通訓詁・序》曾引宋・黃山谷語，認爲《文心》《史通》二書應等觀，謂「不可不讀，實有益於後學」。清・黃叔琳《史通訓詁補・序》則謂《

史通》「在文史類中，允與劉彥和之《雕龍》相匹」。（以上二人之序見附里仁書局鉛印本《史通通釋》書前〈別本序三首〉，頁二—三）

⑫ 見范文瀾《文心雕龍注》〈史傳〉篇，註一，頁二八八。

⑬ 參見許冠三《劉知幾的實錄史學》，頁二二，頁六〇——七〇。

⑭ 參見顏崑陽〈論文心雕龍辯證性的文體觀念架構——兼辨徐復觀、龔鵬程文心雕龍的文體論〉一文，收在《中國文學批評研討會論文集》，頁七三——一二四。

⑮ 見翦伯贊〈論劉知幾的史學〉一文，收在《中國史學史論集》㈡，頁三二一。

⑯ 見周虎林《司馬遷與其史學》，頁一〇二——一〇三。

⑰ 參見雷氏〈漢唐之間二體論與古今正史之爭〉一文。

⑱ 參見劉綱紀《劉勰》，言的問題，頁五〇——五一。

⑲ 參見楊松年〈中國文學批評用語語義含糊之問題〉一文，收在《中國古典文學批評論集》，頁一——一六。又見楊氏《王夫之詩論研究》緒論，頁三——一五。

⑳ 見《史通通釋．言語》，頁一五〇——一五一。案：《左傳》哀公二十年載吳王夫差語：「勾踐將生憂寡人」，孫盛《魏氏春秋》記曹操語：「將生憂人」當轉錄自《左傳》。

㉑ 見《史通通釋．言語》，頁一五二。

㉒ 見《史通通釋．雜說中》「北齊諸史」條，頁四九五。

㉓ 見《史通通釋·言語》，頁一五一。
㉔ 見《史通通釋·雜說上》「公羊傳」條，頁四五四。
㉕ 見《史通通釋·雜說下》「諸史」條，頁五一二。
㉖ 同右，頁五一〇。
㉗ 參見林氏《劉知幾史通之研究》第四章劉知幾的時間觀念及其歷史撰述論。劉氏所謂之「上古」，是指先秦時期，又稱遠古；「中古」指兩漢時期，或稱之爲中世或中葉；「近古」則意屬魏晉時期。近古以下，則有南北朝以降迄於隋唐之時的「近世」或「近代」。另外，除非因爲敍述的需要，近世一詞又概括劉知幾生當其時的初唐與盛唐。也就是除特別標明「當代」之外，「近世」的時間範疇，在劉氏的理念當中已含攝其所處的時代。（頁八六）
㉘ 見《史通通釋·言語》，頁一五〇。
㉙ 見《史通通釋·雜說下》「諸史」條，頁五一〇。
㉚ 見《史通通釋·論贊》，頁八二。
㉛ 見《史通通釋·載文》，頁一二三——一二四。
㉜ 見《史通通釋·載文》，頁一二四——一二六。
㉝ 見《史通通釋·敍事》，頁一六七。
㉞ 見《史通通釋·敍事》，頁一六八。
㉟ 見《史通通釋·雜說下》「諸史」條，五一二。

㊱見《史通通釋・敍事》，頁一七四。
㊲見《舊唐書》卷六十六，頁二四六三。
㊳見《史通通釋・覈才》，頁二五一。
㊴見《史通通釋・覈才》篇末按語，頁二五二。
㊵見《史通通釋・雜說下》「別傳」條，頁五二〇。
㊶見趙氏《廿二史箚記》，頁二七四。
㊷見《史通通釋・雜說上》「左氏傳」條，頁四五一。
㊸見《史通通釋・雜說中》「周書」條，頁五〇〇。
㊹見《史通通釋・論贊》，頁八二。
㊺見《史通通釋・雜說下》「諸史」條，頁五一一。
㊻見《史通通釋・雜說中》「宋略」條，頁四八五。
㊼見《史通通釋・自敍》，頁二八八、二九二。
㊽見《新唐書・劉知幾傳》，
㊾見《史通通釋・六家》，頁一一。
㊿見前文所析「文質並重」。
51見陳望道《修辭學發凡》第四篇、第五篇。

㊾ 見《史通通釋・雜說下》「雜識」條，頁五二九。

㊿ 鄭子瑜《中國修辭學史》認爲劉知幾論助詞本於劉勰，頁一五六。蔣祖怡〈劉知幾史通與劉勰文心雕龍〉文中也指出二劉相當重視虛字運用以調節文氣，此乃因爲駢儷之文使用虛字很重要，其論點也呈現了二劉繼承和發展的關係，頁二七八—二七九。

第五章　史通論歷史敘述的實踐

第一節　史才三長說

在歷史敘述中，史家是引導整個敘述活動進行的主體，史家平時的素養，便關係著實錄的實踐。知幾因此提出「史才三長」說，認爲史家必備才、學、識三種能力，三者是史家從事歷史敘述時不可或缺的條件。

壹、三長的關係及內涵

《唐會要》卷六十四「修史官」條下記載知幾回答鄭惟忠問史才難求的原因時，說：

史才須有三長，謂才也、學也、識也。夫有學而無才，猶有良田百頃，黃金滿籯，而使愚者營生，終不能致貨殖矣。如有才而無學，猶思兼匠石，巧若公輸，而家無楩柟斧斤，終不能成其宮室矣。猶須好是正直，善惡必書，使驕主賊臣，所以知懼，此則爲虎傅翼，善無可加，所向無敵矣。

這一段話告訴我們才學的關係和識的重要，從知幾的比喻，我們試推蔵才、學、識的內涵如下：

甲、才，當指史家的敍述能力和技巧。知幾將有學而無才，比喻作經營者的技術和智慧。以爲史家徒有豐富周備的史料，卻不知如何選擇、剪裁、組織，就好比農夫空有百頃良田不知耕種獲收，商人空有滿筐黃金不知運用獲利一樣。

乙、學，當指史家豐富的知識和史料。知幾將有才而無學，比喻作製造者的材料和工具。以爲史家徒有巧妙的敍述能力和技巧，卻無可資利用的史料和知識，就好比技藝精巧的工匠，如果缺少楩柟和斧斤，便無法營建宮室。

丙、識，當指公平正直的敍述態度，及分辨善惡眞僞的判斷力。知幾將史家備識，視作虎身添翼一樣，以爲史家的識，在歷史敍述中能發揮所向無敵的威力，使驕主賊臣知懼。

在知幾眼中，才、學、識三長之中以備識爲最難，也最重要。有關這方面的意見，除前引《唐會要》的記載外，《史通》所論散見於各篇，且每每合才、學、識並論，時而才、識，時而學、識比較其關係。

如〈覈才〉篇綜論史才，蓋兼指才、識而言，非專指史家才能之長而已，知幾開篇即說：

夫史才之難，其難甚矣。《晉令》云：「國史之任，委之著作，每著作郎初至，必撰名臣傳一人。」斯蓋察其所由，苟非其才，則不可叨居史任。

其謂「史才之難，其難甚矣」，與答鄭惟忠「史才須有三長」之辭相應，乃兼指史家才、學、識三長而言。而「苟非其才，則不可叨居史任」，則專指史家敍述才能一長。首先知幾指出文士不適於修史的原因，是文士不達於史體，以敍述文學的方式來敍述歷史：

歷觀古之作者，若蔡邕、劉峻、徐陵、劉炫之徒，各自謂長於著書，達於史體，然觀侏儒一節，而他事可知。案伯喈於朔方上書，謂宜廣班氏〈天文志〉。夫〈天文〉之於《漢史》，實附贅之尤甚者也。必欲申以掎摭，但當鋤而去之，安可仍其過失，而益其蕪累？亦奚異觀河傾之患，而不遏以隄防，方欲疏而導之，用速懷襄之害。述史如此，將非練達者歟？孝標持論談理，誠爲絕倫。而〈自敍〉一篇，過爲煩碎；〈山栖〉一志，直論文章。諒難以偶迹遷、固，比肩陳、范者也。孝穆在齊，有志梁史，及還江左，書竟不成。嗟乎！以徐公文體，而施諸史傳，亦猶灞上兒戲，異乎眞將軍，幸而量力不爲，可謂自卜者審矣。光伯以洪儒碩學，而迍邅不遇。觀其銳情自敍，欲以垂示將來，而言皆淺俗，理無要害。豈所謂「誦《詩》三百，雖多，亦奚以爲」者乎！

他舉出蔡邕、劉峻、徐陵、劉炫等文學、文章大家，不知剪裁蕪累、去鋤附贅，結果使歷史敍述「言皆淺俗，理無要害」，不足「垂示將來」。這裏已指出史家光有文士的敍述能力是不夠的，還需要練達於史體，有剪裁史料的能力，剪裁史料的能力就是史識，因此最後知幾指出文士不能勝任史職的原因，是缺乏「銓綜之識」：

但自世重文藻，詞宗麗淫，於是沮誦失路，靈均當軸。每西省虛職，東觀佇才，凡所拜授，必推文士。遂使握管懷鉛，多無銓綜之識；連章累牘，罕逢微婉之言。而舉俗共以爲能，當時莫之敢侮。假令其間有術同彪、嶠，才若班、荀，懷獨見之明，負不刊之業，而皆取窘於流俗，見嗤於朋黨。遂乃哺糟歠醨，俯同妄作，披褐懷玉，無由自陳。此管仲所謂「用君子而以小人參之，害霸之道」者也。

文士缺乏「銓綜之識」，即使具備敍述能力，但卻不能掌握敍述的要領，結果成了「連章累牘，罕逢微婉之言」。知幾認爲歷史敍述技巧要練達得宜，表達史事能切合事實，必須以銓綜之識爲基礎，史家的才結合識，可使才得到適切的發揮。

又如〈雜說下〉篇「雜識」條下，提到學與識的關係：

夫自古學者，談稱多矣。精於《公羊》者，尤憎《左氏》；習於太史者，偏嫉孟堅。夫能以彼所長而攻此所短，持此之是而述彼之非，兼善者鮮矣。觀世之學者，或耽玩一經，或專精一史。談《春秋》者，則不知宗周既隕，而人有六雄；論《史》、《漢》者，則不悟劉氏云亡，而地分三國。亦猶武陵隱士，滅迹桃源，當此晉年，猶謂暴秦之地也。假有學窮千載，書總五車，見良直而不覺其善，逢牴牾而不知其失，葛洪所謂藏書之箱篋，《五經》之主人。而夫子有云：雖多亦安用爲？其斯之謂也。

這一段話，我們分作三點來說明：

甲、史家如果拘泥於所長之學，對於所短之學，便無法做出正確的評價，歷史敍述缺乏正確的評價，便失其公正客觀的價值。

乙、史家窮於一隅，而蔽於三隅，所見有限，必致判斷與鑒識能力有所偏狹。

丙、史家徒具一身學問，卻不辨良直善惡，審度失實牴牾，則好比藏書的箱子，擁有五經的主人，學問雖多，只不過是一堆陳舊無法活用的死知識。史家如果沒有彰善懲惡的能力，歷史敍述也失其教化的作用。

史家的學與識，對歷史敍述的材料而言，應指史料的搜羅及抉剔的能力。〈採撰〉篇中，知幾即針對史料的採集和鑒別來申論。首先知幾認爲史料的收集宜廣，由於古來史文有缺，後史自應補其遺逸，補遺逸必須「徵求異說，採摭群言」，這就要靠史家博學的功夫：

子曰：「吾猶及史之闕文。」是知史文有闕，其來尚矣。自非博雅君子，何以補其遺逸者哉？蓋珍裘以衆腋成溫，廣廈以羣材合構。自古探穴藏山之士，懷鉛握槧之客，何嘗不徵求異說，採摭羣言，然後能成一家，傳諸不朽。觀夫丘明受經立傳，廣包諸國，蓋當時有《周志》、《晉乘》、《鄭書》、《楚杌》等篇，遂乃聚而編之，混成一錄。向使專憑魯策，獨詢孔氏，何以能殫見洽聞，若斯之博也？馬遷《史記》，採《世本》、《國語》、《戰國策》、《楚漢春秋》。至班固《漢書》，則全同太史。自太初已後，又雜引劉氏《新序》、《說苑》、《七略》之辭。此並當代雅言，事無邪僻，故能取信一時，擅名千載。

而所徵采者，又必皆是「當代雅言，事無邪僻」，才能取信於人，擅名千載。因此取材不能只爲標新立異，街談巷議，道聽塗說，難免乖濫損實，雖亦可搜採，但必須嚴格鑒別，「異辭疑事，宜善思之」，指的就是史家鑒識力：

故作者惡道聽塗說之違理，街談巷議之損實。觀夫子長之撰《史記》也，殷、周已往，採彼家人；安國之述〈陽秋〉也，梁、益舊事，訪諸故老。夫以芻蕘鄙說，刊爲竹帛正言，而輒欲與五經方駕，三志競爽，斯亦難矣。嗚呼！逝者不作，冥漠九泉；毀譽所加，遠誣千載。異辭疑事，學者宜善思之。

〈雜述〉篇將正史以外的雜著區分爲十類後，也強調史家取材宜兼顧博採和愼取的原則：

然則芻蕘之言，明王必擇；葑菲之體，詩人不棄。故學者有博聞舊事，多識其物，若不窺別錄，不討異書，專治周、孔之章句，直守遷、固之紀傳，亦何能自致於此乎？且夫子有云：「多聞，擇其善者而從之，」「知之次也。」苟如是，則書有非聖，言多不經，學者博聞，蓋在擇之而已。

「博聞舊事，多識其物」「窺別錄，討異書」，皆是學的功夫，「善擇」指鑒別史料眞僞的能力，則是識的功夫。在十種雜著中，以實錄的標準衡量，知幾認爲偏記小錄之書，最具史料價値：

大抵偏記小錄之書，皆記即日當時之事，求諸國史，最爲實錄。然皆言多鄙樸，事罕圓備，終不能成其不刊，永播來葉，徒爲後生作者削稿之資焉。

綜合前面分析，知幾已充分表示史家才、學二長與識的關係非常密切。知幾認為「有才無識」「有學無識」的史家從事歷史敍述，不可能實踐實錄的精神。由此我們可知史家三長，以備識為最難，識的內涵也最為豐富。史家的識，除了前面所說，可以輔才的「銓綜之識」，以及可以輔學的「鑒別之識」外，其實還包括判斷善惡是非的能力，和是否能秉持公正客觀的態度，如〈鑒識〉篇所說：

> 夫人識有通塞，神有晦明，毀譽以之不同，愛憎由其各異。蓋三王之受謗也，值魯連而獲申；五霸之擅名也，逢孔宣而見詆。斯則物有恆準，而鑒無定識，欲求銓覈得中，其唯千載一遇乎！況史傳為文，淵浩廣博，學者苟不能探賾索隱，致遠鉤深，烏足以辯其利害，明其善惡。

即指史家判斷是非善惡的能力而言。〈直書〉篇所表彰的書法不隱的史家，則指公正客觀的敍述態度：

> 夫為於可為之時則從，為於不可為之時則凶。如董狐之書法不隱，趙盾之為法受屈，彼我無忤，行之不疑，然後能成其良直，擅名今古。至若齊史之書崔弒，馬遷之述漢非，韋昭仗正於吳朝，崔浩犯諱於魏國，或身膏斧鉞，取笑當時；或書塡坑窖，無聞後代。夫世事如此，而責史臣不能申其強項之風，勵其匪躬之節，蓋亦難矣。是以張儼發憤，私存《嘿記》之文；孫盛不平，竊撰遼東之本。以茲避禍，幸獲兩全。足以驗世途之多隘，知實錄之難遇耳。

貳、後人對三長的補充

由於知幾未曾正面解釋史家三長的內涵，《史通》所論又常混三長合談，不容易掌握其語義和指涉的對象。因此前人常以史家三長有所不足，而加以補充，如明胡應麟論三長之外，還應加上「公心」和「直筆」：

才、學、識三長，足盡史乎？未也。有公心焉，直筆焉。五者兼之，仲尼是也。董狐、南史制作亡徵，維公與直庶幾盡矣。……直則公，公則直，胡以別也？而或有不盡符焉。……夫直有未盡，則心雖公猶私也；公有未盡，則筆雖直猶曲也。……①

清章學誠認爲三長中的識，只是「欲於記誦之間，知所以決擇以成文理」的「文士之識」，因此又提出「史德」一長，以補三長的不足：

才、學、識，三者得一不易，而兼三尤難，千古多文人而少良史，職是故也。昔者劉氏子玄，蓋以是說謂足盡其理矣。雖然，史所貴者義也，而所具者事也，所憑者文也。孟子曰：「其事則齊桓晉文，其文則史，義則夫子自謂竊取之矣。」非識無以斷其義，非才無以善其文，非學無以練其事，三者固各有所近也；其中固有似之而非者也。記誦以爲學也，辭采以爲才也，擊斷以爲識也，非良史之才學識也。雖劉氏之所謂才學識，猶未足以盡其理也。夫劉氏以謂有學無識，如愚估操金，不解貿化，推此說以證劉氏之指，不過欲於記誦之閒，知所決擇以成文理耳。故曰：「古人史取成家，退處士而進姦雄，排死節而飾主闕，亦曰一家之道然也。」此猶文士之識，非史識也。能具史識者，必知史德；德者何？謂著書者之心術也。夫穢史者所以自穢，謗書者所以自謗，素行爲人所羞，文辭何足取重！魏收之矯誣，沈約之陰惡，讀其書者先不信其人，其患未至於甚也。所患夫心術者，謂其有君子之心而所養未底於粹也；夫有君子之心而所養未粹，大賢以下所不能免也，此而猶患於心術，自非夫子之《春秋》不足當也，以此責人，不亦難乎？是亦不然也。蓋欲爲良史者，當愼辨於天人之際，盡其天而不益以人也。盡其天而不益以人，雖未能至，苟允知之，亦足以稱著書者之心術矣。而文史之儒，競言才學識而不知辨心術，以議史德，烏乎可哉，夫是堯舜而非桀紂，人皆能言矣；崇王道而斥霸功，又儒者之習故矣；至於善善而惡惡，褒正而嫉邪，凡欲託文辭以不朽者，莫不有是心也。②

據前文所引，知幾答鄭惟忠問史才少而文士多的原因時，「愚者營生，終不能置貨殖」是用來比喻「有學無才」，章氏在此卻誤解爲「有學無識」，因此理解知幾所說的識，只是記誦之間擇成文理的文識。章氏謂著書者善善惡惡、褒正嫉邪的心術，其實就是知幾答鄭惟忠時最後所指出的識「猶須好是正直，善惡必書，使驕主賊臣，所以知懼。」因此我們可以說章氏對史家應備條件的闡發，不在於首創史德論，而是發展和深化了知幾的史才三長論。③

此外梁啓超也批評說：④

子元雖標出三種長處，但未加以解釋，如何纔配稱史才、史學、史識，他不曾講到。並且認爲章學誠所補充的「史德」，只講到史家的心術，還不夠圓滿，於是又補充「忠實」一項說：

章實齋所謂史德，乃是對於過去毫不偏私，善惡褒貶，務求公正。……但尚不足以盡史德的含義，我以爲史家第一件道德，莫過於忠實。如何纔算忠實，即「對於所敍述的史蹟，純採客觀的態度，不絲毫參以自己意見」便是。……總而言之，史家道德應如鑑空衡平，是什麼照出來就是甚麼，有多重稱出來就有多重，把自己主觀意見剷除淨盡。把自己性格養成像鏡子和天平一樣。

胡氏所說的「公心」「直筆」合起來，就是章氏所說的「史德」，二人所補與梁氏所倡的「忠實」，其實都已在知幾所論的史識中。〈辨職〉篇有一段話，可以進一步印證：

史之爲務，厥途有三焉。何則？彰善貶惡，不避強禦，若晉之董狐，齊之南史，此其上也。編次勒成，鬱爲不朽，若魯之丘明，漢之子長，此其次也。高才博學，名重一時，若周之史佚，楚之倚相，此其下也。苟三者並闕，復何爲者哉？

知幾將古代史家分成上中下三個等級，其分級的標準，正是史德、史識、史才與史學。「彰善貶惡，不避強禦」就是胡氏所說的「公心」「直筆」，及章氏所強調的「史德」。至於梁氏所補充的「忠實」——敍述客觀，正是知幾以明鏡照物比喻史家執簡的敍述態度。

從知幾對「實錄」所下的定義，已知「實錄」相當強調史家的獨立性和歷史敍述的寫實性。歷史敍述能否成達成實錄，與史家敍述觀點、態度、能力等都息息相關。知幾進入史館修史，深受監修貴臣拘限，不能發揮所長秉公論斷史事，因此常現藉古傷今的感嘆。如〈覈才〉篇考核史才不同於文才，篇末發嘆「拘時之患」：

昔傅玄有云：「觀孟堅《漢書》，實命代奇作。及與陳宗、尹敏、杜撫、馬嚴撰中興紀傳，其文曾不足觀。豈拘於時乎？不然，何不類之甚者也？是後劉珍、朱穆、盧植、楊彪之徒，又繼而成之。豈亦各拘於時，而不得自盡乎？何其益陋也？」嗟乎！拘時之患，其來尚矣。斯則自古所歎，豈獨當今者哉！

〈辨職〉篇由設官分職，而論史才高下及唐代史館修史之弊，篇末又寄意「一家獨斷」：

昔丘明之修傳也，以避時難；子長之立記也，藏於名山；班固之成書也，出自家庭；陳壽之草志也，創於私室。然則古來賢儁，立言垂後，何必身居廨宇，迹參僚屬，而後成其事乎？是以深識之士，知其若斯，退居清靜，杜門不出，成其一家，獨斷而已。豈與夫冠猴獻狀，評議其得失者哉！

此所謂「一家獨斷」，即指史家判斷史事的獨立性。史家的獨立性是實踐歷史敍述自明性的先決條件，知幾如此感寄，實是對史識最迫切的呼聲。

綜上所論，史才三長說不僅是知幾對前人經驗的總結，其實也是他個人實際的體驗，後人對三長不斷地補充說明，適可強調三長與實踐歷史敍述的關係。

叁、小　結

知幾的「史才三長」說，與其「求實錄」的主張息息相關，知幾認爲歷史敍述能否紀實如眞，取決於史家才、學、識三長。三長的內涵相當具體：才指史家的敍述能力和技巧，學指史家豐富的知識和史料，識指公平正直的敍述態度，和分辨善惡眞僞的判斷力，這些都是從主觀條件討論歷史敍述的實踐問題。

知幾在史館無法發揮史才，倍受監修貴臣扼制，遂憤而著書立言，商榷史篇，《史通》之作蓋取平日讀史治史箚記整理編纂而成，此在第二章第二節已言及。然而知幾之所以極力反對文人修史，進而提出一套史才訓練法，顯然也與其史館經驗關係密切，因此史才三長之說，不僅是實踐歷史敍述的必要條件，知幾似乎也有意提醒史館重視史才的遴選和訓練。才、學、識正是遴選的依據和訓練的目標。

史才說頗受後人重視，知幾之後續有胡應麟、章學誠、梁啓超等人對於史才內容加以補充。考外國學者也有類似的意見，如賈茨喬克（Louis Gottschalk）的實錄（Tell the Truth）觀，從史家的能力和意願兩方面論述，便與劉氏「史才三長」說相當接近。他認爲據事直書的能力（Ability to Tell the Truth）包括史家親見親聞事件的程度、敍述技巧等專業程度、專注事件程度，以及是否預設立場強加己見於敍述、是否淪於循環論證、是否自我中心以私人材料爲依憑；據事直書的意願（Willingness to Tell the Truth）包括史家動機是否純正、有無故意偏私等問題。而史家的能力和意願兩者，尤以意願關係歷史敍述眞僞更鉅。⑤這裏所說史家的意願，即如知幾所說的史識一樣是最重要的。

第二節　僞錄的成因

理想的歷史敍述，知幾稱爲「實錄」，與實錄相對的則稱爲「僞錄」。知幾以實錄的標準衡量古今史書，批駁歷史敍述種種虛僞謬誤的現象，從而導致他重視史家的採撰方法，及富有懷疑求眞的精神。其勇於懷疑的膽識，甚至敢於設論問難孔子，向經典的權威挑戰。其勤於考核徵實及嫻熟辨僞的方法，並已進一步追探到僞錄的成因。

知幾評僞錄，雖以歷史敍述中的僞辭、僞事、僞說爲主，其間亦不免涉及經傳、子、集等書的辨僞，茲就歸納整理的結果，將知幾評論的意見申述如下：

壹、曲筆僞說

知幾認爲史家曲筆有二種情形：一是偏私意見之曲，二是恩仇賄賂之曲，〈曲筆〉篇說：

其有舞詞弄札，飾非文過，若王隱、虞預毀辱相凌，子野、休文釋紛相謝。用舍由乎臆說，威福行乎筆端，斯乃作者之醜行，人倫所同疾也。亦有事每憑虛，詞多烏有：或假人之美，藉爲私惠；或誣人之惡，持報己仇。若王沈《魏錄》濫述貶甄之詔，陸機《晉史》虛張拒葛之鋒，班固受金而始書，陳壽借米而方傳。此又記言之奸賊，載筆之凶人，雖肆諸市朝，投畀豺虎可也。

第一種是因爲個人的偏私以致扭曲事實，造成文過飾非現象，如王隱、虞預、裴子野、沈約等人；第二種則是因爲個人恩仇或接受賄賂，以致揑造事實，造成無中生有，如王沈、陸機、班固、陳壽等人。

史家修史，尤其是修當代史，忌諱最多。在權威勢力壓迫利誘下，歷史敍述難保其眞實客觀，「諛言媚主」「曲筆阿時」「多爲時諱」的僞錄，便紛紛而出。〈直書〉篇說：「世多趨邪而棄正，不踐君子之迹，而行由小人者，何哉？語曰：『直如弦，死道邊；曲如鉤，反封侯。』故寧順從以保吉，不違忤以受害也。」世道之常，趨吉而避凶，因此史家執筆，也往往隨俗適世，而言不由衷，〈曲筆〉篇說：「史之不直，代有其書」「但古來唯聞以直筆見誅，不聞以曲詞獲罪。」

在所有史書當中，知幾對魏收的《魏書》抨擊最力。知幾指出魏收「黨附北朝」，因而「盛誇胡塞」⑥「厚誣江左」⑦，不僅「諂齊而輕抑關右（指宇文氏北周），黨魏而深誣江外（即晉、南朝宋）」⑧，而且「愛恨出於方寸，與辱由其筆端」⑨，「如事有可恥者，則加減隨意，依違飾言」⑩。《史通》舉出魏收很多曲筆僞說的例子，如：

〈因習〉篇云：

魏收著書，標榜南國，桓、劉諸族，咸曰島夷。是則自江而東，盡爲卉服之地。至於〈劉昶〉、〈沈文秀〉等傳，敍其爵里，則不異諸華。豈有君臣共國，父子同姓，闔閭、季札，便致土風之殊；孫策、虞翻，乃成夷夏之隔。求諸往例，所未聞也。

〈曲筆〉篇云：

魏收以元氏出於邊裔，見侮諸華，遂高自標舉，比桑乾於姬、漢之國；曲加排抑，同建鄴於蠻貊之邦。

〈雜說中〉篇「後魏書」條云：

至如劉氏獻女請和，太武以師婚不許，此言尤可怪也。何者？江左皇族，水鄉庶姓，若司馬、劉、蕭、韓、王，或出於亡命，或起自俘囚，一詣桑乾，皆成禁臠。此皆《魏史》自述，非他國所傳。然則北之重南，其禮如此。安有黃旗之主，親屈已以求婚，而白登之陣，反懷疑而不納。其言河漢，不亦甚哉！

據筆者統計，《史通》中除上述三篇之外，尚有〈本紀〉〈論贊〉〈題目〉〈斷限〉〈稱謂〉〈採撰〉〈言語〉〈浮詞〉〈敍事〉〈探賾〉〈人物〉〈史官建置〉〈古今正史〉〈雜說下〉等十四篇都批評過《魏書》。⑪由於魏收的爲人「性憎勝己，喜念舊惡，甲門盛德與之有怨者，莫不被以醜言，沒其善事。遷怒所至，毀及高曾。」⑫，因此曲筆誣書甚多，在其他史書，曲筆「十不過一二」，而《魏書》竟「殆將過半」，⑬於是知幾特稱其爲「穢史」⑭，更花費許多筆墨糾舉他書中的謬誤。

除《魏書》之外，知幾嘗責沈約「《宋書》多妄」⑮，「沈氏著書，好誣先代」「在宋則多出謗言」⑯。貶王沈的《魏錄》，其貶辭有三：一是「假回邪以竊位」，二是「濫述貶甄之詔」，三是「多爲時諱，殊非實錄」。⑰而董統的《燕紀》，知幾嘗斥其人曰「持諂媚以偷榮」，評其書雖「敍事富贍，足成一家之言」，但「褒述過美，有慚良直。」⑱

另外，范曄《後漢書》及陳壽《三國志》中，因「取悅當道」而歪曲史實的敍述，知幾也不曾放過，〈曲筆〉篇說：

《後漢書·更始傳》稱其懦弱也，其初即位，南面立，朝羣臣，羞愧流汗，刮席不敢視。夫以聖公身在微賤，已能結客報仇，避難綠林，名爲豪傑。安有貴爲人主，而反至於斯者乎？將作者曲筆阿時，獨成光武之美；諛言媚主，用雪伯升之怨也。且中興之史，出自東觀，或明皇所定，或馬后攸刊，而炎祚靈長，簡書莫改，遂使他姓追撰，空傳僞錄者矣。陳氏《國志·劉後主傳》云：「蜀無史職，故災祥靡聞。」案黃氣見於秭歸，羣烏墮於江水，成都言有景星出，益州言無宰相氣，若史官不置，此事從何而書？蓋由父辱受髡，故加茲謗議者也。

至於唐初諸史，由於國史修撰制度，轉爲禁密化，自太宗欲窺實錄之後，漸啓君王干預修史。⑲其影響乃導致史館史臣措辭下筆之際，競趨獻媚，〈古今正史〉篇說出當時的情形，及不良的影響：

而近代趨競之士，尤喜居於史職，至於措辭下筆者，十無一二焉。旣而書成繕寫，則署名同獻；爵賞旣行，則攘袂爭受。遂使是非無準，眞僞相雜，生則厚誣當時，死則致惑來代。

知幾並痛貶高宗、武后之際，監修貴臣許敬宗所監修的《高宗本紀》《永徽名臣、四夷傳》，其辭曰：「或曲希時旨，或猥飾私憾，凡有毀譽，多非實錄。必方諸魏伯起，亦猶張衡之蔡邕焉。」由此亦可了解知幾何以與史館諸人「鑿枘相違，齟齬難入」了。⑳

貳、虛美厚誣

除了政治因素外，知幾認爲道德因素也會導致僞錄的產生。〈疑古〉篇說孔子有「君子成人之美，不成人之惡」的觀念，導致他作《春秋》時「外爲賢者，內爲本國，事靡洪纖，動皆隱諱。」孔子這種動輒隱諱的態度「爲明王道存名教，而避諱部分史實的書法」，實開啓後來史家爲君親隱諱的慣例。〈曲筆〉篇說：

肇有人倫，是稱家國。父父子子，君君臣臣，親疏旣辨，等差有別。蓋「子爲父隱，直在其中」，《論語》之順也；略外別內，掩惡揚善，《春秋》之義也。自茲已降，率由舊章。史氏有事涉君親，必言多隱諱，雖直道不足，而名教存焉。

這種隱諱，雖可保存名教，但是知幾不許其「直道」，正因爲「隱惡」有傷史實之眞。另外對於虛美尊親，而導致敍述失實，知幾也相當反對，如〈曲筆〉篇又說：

至如朝廷貴臣，必父祖有傳，考其行事，皆子孫所爲，而訪彼流俗，詢諸故老，事有不同，言多爽實。昔秦人不死，驗苻生之厚誣；蜀老猶存，知葛亮之多枉。斯則自古所歎，豈獨於今哉！

知幾反對歷史敍述虛美、隱惡、厚誣，〈疑古〉篇便批評《尙書》虛美堯、舜、禹、湯、周公之德，厚誣桀、紂、武庚、管叔、蔡叔之惡，其駁難的情形如下：

在「其疑一也」之下，指出〈虞書〉美放勳所謂「克明俊德」實爲虛美。知幾以《論語》爲外證說：「《論語》有云：『舜舉咎繇，不仁者遠。』是則當咎繇未舉，不仁甚多，彌驗堯時羣小在位者矣。又安得謂之『克明俊德』……」

在「其疑五也」之下，指出〈商書・湯誓序〉飾湯之迹云：「唯有慚德」爲隱惡。知幾舉〈周書・殷祝〉云：「桀讓湯王位」，先以內證顯其矛盾，繼以《墨子》爲外證說：「《墨子》云：『湯以天下讓務光，而使人說曰：湯欲加惡名於汝。務光遂投清冷之泉而死。』湯乃即位無疑。然則湯之飾讓，僞迹甚多。考墨家所言，雅與《周書》相會。夫《書》之作，本出《尚書》，孔父截翦浮詞，裁成雅誥，去其鄙事，直云「慚德」，豈非欲滅湯之過，增桀之惡者乎？」

在「其疑六也」之下，指出〈周書。泰誓〉數紂過失爲厚誣，知幾以呂相〈爲晉絕秦書〉及陳琳〈爲袁紹檄豫州文〉爲喩，並舉子貢及劉向的話爲證說：「武王爲《泰誓》，數紂過失，亦猶近代之有呂相爲晉絕秦，陳琳爲袁檄魏，欲加之罪，能無辭乎？而後來諸子，承其僞說，競列紂罪，有倍五經。故子貢曰：『桀、紂之惡不至是，君子惡居下流』。班生亦云：安有據婦人臨朝！劉向又曰：『世人有弒父害君，桀、紂不至是，而天下惡者必以桀、紂爲先。』此其自古言辛、癸之罪，將非厚誣者乎？」

在「其疑七也」之下，指出〈周書・微子之命序〉乃厚誣武庚之辭不可信，知幾不以成敗論英雄的觀念使他認爲武庚不願侯服事周「旣而合謀二叔，徇節三監，雖君親之怨不除，而臣子之誠可見。考諸名教，生死無慚。議者苟以其功業不成，便以頑人爲目。必如是，則有君若夏少康，有臣若伍子胥，向若隕仇雪怨，衆敗身滅，亦當隸迹醜徒，編名逆黨者邪？」

在「其疑十也」之下，指出〈周書・金縢〉言管、蔡對周公放流言之說是厚誣，並駁其所謂周公爲了保全周室而殺管叔放蔡叔之說是虛美。知幾以〈周書・君奭〉爲內證說：「《尚書・君奭》篇〈序〉云：『召公爲保，周公爲師，相成王，爲左右。召公不說。』斯則旦行不臣之禮，挾震主之威，迹居疑似，坐招訕謗。雖奭以亞聖之德，負明允之才，目覩其事，猶懷憤懣。況彼二叔者，才處中人，地居下國，側聞異議，能不懷猜？原其推戈反噬，事由誤我。而周公自以不誠，遽加顯戮，與夫漢代之赦淮南，寬阜陵，一何遠哉！斯則周公於友于之義薄矣。而《書》之所述，用爲美談者，何哉？」

以上五條，知幾批評《尚書》因「虛美隱惡」，以致厚誣，有違實情。㉑而《春秋》「隱惡」之例，見〈惑經〉篇，未諭三及未諭八，前節已詳引，此處不再贅言。

概括而言，知幾反對史家或爲尊親，或爲王道名教而有虛美隱惡，扭曲事實的情形發生。

叁、取材不當

取材的內容正確與否，關係著歷史敘述是否正確，此即史家採撰的問題，依知幾之見，有二種材料絕不可引入史書。如上述曲筆僞造之說，本無中生有之事，切不可當眞而援引入史，如〈雜說中〉篇「後魏書」條云：

近者沈約《晉書》，喜造奇說。稱元帝牛金之子，以應「牛繼馬後」之徵。鄴中學者王劭、宋孝王言之詳矣。而魏收深嫉南國，幸書其短，著〈司馬叡傳〉，遂具錄休文所言。又崔浩諂事狄君，曲爲邪說，稱拓跋之祖，本李陵之胄。當時衆議抵斥，事遂不行。或有竊其書以渡江者，沈約撰《宋書・索虜傳》，仍傳伯淵所述。凡此諸妄，其流甚多，儻無迹可尋，則眞僞難辨者矣。

此處批評魏收《魏書》採沈約《晉書》中僞造奇說，稱晉元帝乃牛金之子，又批評沈約《宋書》採崔浩的諂言邪說，稱拓跋氏遠祖本李陵之胄。

其次，知幾認爲先秦諸子的寓言，及騷人墨客假託的文辭，是爲說理所編造的故事，純屬虛辭，故亦不可引爲論述，如〈雜說下〉篇「別傳」條下，有三條就史書引用而論，其一曰：

自戰國已下，詞人屬文，皆僞立客主，假相酬答。至於屈原〈離騷〉辭，稱遇漁父於江渚；宋玉《高唐賦》，云夢神女於陽臺。夫言並文章，句結音韻。以茲敍事，足驗憑虛。而司馬遷、習鑿齒之徒，皆採爲逸事，編諸史籍。疑誤後學，不其甚邪！必如是，則馬卿游梁，枚乘譖其好色；曹植至洛，宓妃覿於巖畔。撰漢、魏史者，亦宜編爲實錄矣。

是批評司馬遷《史記・屈原列傳》採辭〈漁父〉，及習鑿齒《漢晉春秋》援引〈神女〉，都犯了同一錯誤，不知「戰國已下，詞人屬文，皆僞立客主，假相酬答」「屈原〈離騷〉辭，稱遇漁父於江渚，宋玉〈高唐賦〉，云夢神女於陽臺」並爲騷人墨客虛造之寓言，「以茲敍事，足驗憑虛」，而司馬遷、習鑿齒二人，竟皆「採爲逸事，編諸史籍」，知幾指出二人引書不當的謬誤，並責難其書「疑誤後學，不其甚邪！」

其二曰：

蘇秦答燕易王，稱有婦人將殺夫，令妾進其藥酒，妾佯僵而覆之。又甘茂謂蘇代云：貧人女與富人女會績，曰：「無以買燭，而子之光有餘，子可分我餘光，無損子明。」此並戰國之時，游說之士，寓言設理，以相比興。及向之著書也，乃用蘇氏之說，爲二婦人立傳，定其邦國，加其姓氏，以彼烏有，持爲指實，何其妄哉！

則批評劉向以「寓言設理」之比興爲眞人眞事，且虛爲寓言中人物立傳，任意「定其邦國，加其姓氏」，責其書「以彼烏有，持爲指實，何其妄哉！」

其三曰：

嵇康撰《高士傳》，取《莊子》《楚辭》二漁父事，合成一篇。夫以園吏之寓言，騷人之假說，而定爲實錄，斯已謬矣。況此二漁父者，較年則前後別時，論地則南北殊壤，而輒併之爲一，豈非惑哉？……莊周著書，以寓言爲主；嵇康述《高士傳》，多引其虛辭。至若神有混沌，編諸首錄。苟以此爲實，則其流甚多，至如鼃鼈競長，蚿蛇相鄰，鷽鳩笑而後言，鮒魚忿以作色。向使康撰《幽明錄》、《齊諧記》，並可引爲眞事矣。夫識理如此，何爲而薄周、孔哉？

魏晉史籍中，知幾指出嵇康《高士傳》「好聚七國寓言」㉒之訛濫，其書喜以《莊子》之虛辭爲實有，以至「神有混沌，編爲首錄」，而最荒謬的是取《莊子》《楚辭》二漁父事合成一篇，不僅以虛託爲實辭，更置虛託之年歲懸遠、南北殊隔於不顧。最後知幾強調史書貴在徵實，不同於別傳，故不可廣收異聞逸事。

另外，還有二類材料，依知幾「實錄」之義，只有極少部分可採作史料。

第一類是神怪異說。

知幾認爲不附於物理、有違於人情的傳聞怪說，絕不可以引用，如〈雜說中〉篇「諸晉史」條說：

> 夫學未該博，鑒非詳正，凡所修撰，多聚異聞，其爲踳駁，難以覺悟。案應劭《風俗通》載楚有葉君祠，即葉公諸梁廟也。而俗云孝明帝時有河東王喬爲葉令，嘗飛鳧入朝。及干寶《搜神記》，乃隱應氏所通，而收流俗怪說。又劉敬昇《異苑》稱晉武庫失火，漢高祖斬蛇，劍穿屋而飛，其言不經。致梁武帝令殷芸編諸《小說》，及蕭方等撰《三十國史》，乃刊爲正言。既而宋求漢事，旁取令升之書，唐徵晉語，近憑方等之錄。編簡一定，膠漆不移。故令俗之學者，說鳧履登朝，則云《漢書》舊記。談蛇劍穿屋，必曰晉典明文。遮彼虛詞，成茲實錄。語曰：「三人成市虎。」斯言其得之者乎！

此責唐修《晉書》「多聚異聞」，而「鑒非詳正」，故妄收干寶《搜神記》「王喬爲葉令，嘗飛鳧入朝」，及劉敬昇《異苑》「漢高祖斬蛇，劍穿屋而飛」等怪說，踳駁虛詞，難成實錄。

〈書事〉篇說：

> 王隱、何法盛之徒所撰晉史，乃專訪州閭細事，委巷瑣言，聚而編之，目爲鬼神傳錄，其事非

要，其言不經。異乎三史之所書，五經之所載也。范曄博採衆書，裁成漢典，觀其所取，頗有奇工。至於《方術》篇及諸《蠻夷傳》，乃錄王喬、左慈、廩君、槃瓠，言唯迂誕，事多詭越。可謂美玉之瑕，白圭之玷。惜哉！無是可也。

此責王隱、何法盛的《晉史》收巷閭鬼怪傳聞，及范曄《後漢書》錄王喬、左慈、廩君、槃瓠等迂誕之言、詭越之事。

〈暗惑〉篇說：

如《史記》云「重華入於井中，匿空出去。」此則其意以舜是左慈、劉根之類，非姬伯、孔父之徒。苟識事如斯，難以語夫聖道矣。且案太史公云：「黃帝、堯、舜軼事，時時見於他說，余擇其言尤雅者，著爲本紀書首。」若如向之所述，豈可謂之雅邪？

此責司馬遷《史記·五帝本紀》載「瞽叟使舜穿井，爲匿旁空出」，好像左慈爲避禍化作羊羝、劉根竄形入壁，乖違常理，與太史公曰：「擇其言尤雅者」，自相矛盾。

其他，像「堯有八眉，夔唯一足；烏白馬角，救燕丹而免禍；犬吠雞鳴，逐劉安以高蹈」㉓這類神話傳說，以及揚雄在其《蜀王本紀》云：「杜魄化而爲鶗，荊尸變而爲鼈」，劉向在其《說苑》《神仙傳》中記：「伯奇化鳥，對吉甫以哀鳴」「宿瘤隱形，干齊王而作后」「劉安覆族，定以登仙」㉔等神怪異說，知幾認爲皆不可妄載入史。

但是，神話異說若「事關軍國，理涉興亡」，知幾認爲「有而書之，以彰靈驗，可也。」〈書事〉

篇中，知幾舉出下面這些例子：「吞燕卵而商生，啓龍漦而周滅，厲壞門以禍晉，鬼謀社而亡曹，江使返璧於秦皇，圯橋授書於漢相。」由此又證歷史敍述的取材，是用來反映政治或倫理的意義，以產生褒貶的作用。

第二類是符讖禨祥之說。

知幾認爲符讖禨祥之說，大多出於附會，不可輕信，〈書志〉篇說：

夫災祥之作，以表吉凶。此理昭昭，不易誣也。然則麒麟鬬而日月蝕，鯨鯢死而彗星出，河變應於千年，山崩由於朽壤。又語曰：「太歲在酉，乞漿得酒；太歲在巳，販妻鬻子。」則知吉凶遞代，如盈縮循環，此乃關諸天道，不復繫乎人事。

指出人間所見的自然異象，都是天道「盈縮循環」的變化結果，實與人事無關。

又說：

古之國史，聞異則書，未必皆審其休咎，詳其美惡也。故諸侯相赴，有異不爲災，見於《春秋》，其事非一。

接著以古代國史及《春秋》爲例說明自然界先有異象，而人事間未必有變故，表示天道與人事未必有徵應的關係。但是漢儒常以陰陽五行學說附會圖讖，解釋歷史變異，說明天人感應的關係，劉知幾批評漢儒這種解釋說：

洎漢興，儒者乃考〈洪範〉以釋陰陽。其事也如江璧傳於鄭客，遠應始皇；臥柳植於上林，近

> 符宣帝。門樞白髮，元后之祥；桂樹黃雀，新都之讖。舉夫一二，良有可稱。至於蜚蜮蝝螽，震食崩坼，隕霜雨雹，大水無冰，其所證明，實皆迂闊。……且史之記載，難以周悉，而漢代儒者，羅災眚於二百年外，討符會於三十卷中，安知事有不應於人，應而人失其事？何得苟有變而必知其兆者哉！

知幾說古史的記載有限，漢儒推論天道變化必然有人事相應，許多都是附會迂闊之辭。然而班固竟然不加銓擇，任意遷就漢儒之說，編入《漢書・五行志》，知幾對班固引書之誤，極表不滿，責難其內容說：

> 斯皆不憑章句，直取胸懷，或以前爲後，以虛爲實。移的就箭，曲取相諧；掩耳盜鐘，自云無覺。詎知後生可畏，來者難誣者邪！……且每有敍一災，推一怪，董、京之說，前後相反；向、歆之解，父子不同。遂乃雙載其文，兩存厥理。言無準的，事益煩費，豈所謂撮其機要，收彼菁華者哉！

除〈書志〉篇外，《史通》尚有〈五行志錯誤〉〈五行志雜駁〉二篇針對《漢書・五行志》的牴牾加以批駁。知幾指出「引書失宜」「敍事乖理」「釋災多濫」「古學不精」等錯謬，都與引書之誤有關。

知幾雖然反對漢儒符讖附會之說，但並非完全反對圖讖徵應之說著入史籍，如〈書事〉篇便建議史書增入「旌怪異」一目，記「幽明感應，禍福萌兆」之事，此又應驗知幾認爲歷史敍述的取材，要能彰顯政治或倫理的意義。他說：

> 夫祥瑞者，所以發揮盛德，幽贊明王。至如鳳皇來儀，嘉禾入獻，秦得若雉，魯獲如麐。求諸《尚書》、《春秋》，上下數千載，其可得言者，蓋不過一二而已。爰及近古則不然，凡祥瑞之出，非關理亂，蓋主上所惑，臣下相欺，故德彌少而瑞彌多，政逾劣而祥逾盛。是以桓、靈受祉，比文、景而爲豐；劉、石應符，比曹、馬而益倍。而史官徵其謬說，錄彼邪言，眞僞莫分，是非無別。

可見符讖禨祥之說，並非完全不可取，必須要「發揮盛德，幽贊明王」，如「非關理亂」，則不可遽取。因此〈採撰〉篇便指出晉皇甫謐《帝王世紀》「多採六經圖讖」之誤，和嵇康《高士傳》「榛聚七國寓言」一樣，怪異之說虛設之言，都是引書時所應禁絕的。

知幾主張史家取材宜廣，以上所舉四類材料，並不能涵蓋所有歷史敍述引書失誤的問題，只是上述四類材料引入史書，導致歷史敍述內容錯誤的情況最爲嚴重，故舉例說明如上。其他例子還很多，如〈暗惑〉篇中駁《史記・仲尼弟子列傳》載「孔子旣歿，有若狀似孔子，弟子相與共立爲師」一事之謬，乃援引孟子之說，他評此事說：「此乃童兒相戲，非復長老所爲。觀孟軻著書，首陳此說；馬遷裁史，仍習其言，得自委巷，曾無先覺，悲夫！」連漢人稱爲實錄的《史記》，知幾亦不放過，他說：「歷考前史，徵諸直詞，雖古人糟粕，眞僞相亂，而披沙揀金，有時獲寶。」又說：「夫以芻蕘鄙說，刊爲竹帛正言，而輒欲與五經方駕，三志競爽，斯亦難矣。……異辭異事，學者宜善思之。」「或採彼流言，不加銓擇；或傳諸繆說，即從編次。用使眞僞混淆，是非參錯。……夫書彼竹帛，事非容易，凡爲國史，可不愼諸！」㉕凡此可見知幾相當重視史料的辨僞及選擇，蓋愼選史料，才不致有僞錄產生。

肆、虛構妄論

知幾說「爲史之道，其流有二」：其一，「書事記言，出自當時之簡」；其二，「勒成刪定，歸於後來之筆」。㉖史家執筆多半屬於後者，因爲史家不可能親眼目睹每一歷史人物及歷史事件，因此歷史敍述便會有史家虛構敷設的情形發生，但依知幾「實錄」之義，有些虛構是不可取的如《史記》和《漢書》載「張良慮反側不安，雍齒以嫌疑受爵」之事說：

上自洛陽南宮，從複道望見諸將往往相與坐沙中語。上曰：「此何語？」留侯曰：「陛下所封皆故人親愛，所誅皆平生讐此屬畏誅，故相聚謀反爾。」上乃憂曰：「爲之奈何？」留侯曰：「上平生所憎，誰最甚者？」上曰：「雍齒。」留侯曰：「今先封雍齒，以示羣臣。羣臣見雍齒封，則人人自堅矣。」於是上置酒，封雍齒爲侯。

知幾認爲載漢高祖「從複道望見諸將往往相與坐沙語」，是司馬遷所敷演妄溢，班固轉錄於《漢書》，〈暗惑〉篇駁難之說如下：

夫公家之事，知無不爲，見無禮於君，如鷹鸇之逐鳥雀。案子房之少也，傾家結客，爲韓報讐。此則忠義素彰，名節甚著。其事漢也，何爲屬羣小聚謀，將犯其君，遂默然杜口，俟問方對？

倘若高祖不問，竟欲無言者邪？且將而必誅，罪在不測。如諸將屯聚，圖爲禍亂，密言臺上，猶懼覺知；羣議沙中，何無避忌？爲國之道，必不如斯。然則張良慮反側不安，雍齒以嫌疑受爵，蓋當時實有其事也。如複道之望、坐沙而語，是說者敷演，妄益其端耳。

知幾是以君臣之禮問難《史記》《漢書》的記載，以爲有虛誇不實之嫌，姑不論這種推論正確與否，至少反映知幾修史的理念是：「有其事則書，無其事則闕」，我們從他強調孔子「闕疑」的方法，可知他反對歷史敍述是憑空虛造，無中生有的，如：

子曰：「蓋有不知而作之者，我無是也。」又曰：「君子於其所不知，蓋闕如也。」又曰：「知之爲知之，不知爲不知，是知也。」嗚呼！世之作者，其鑒之哉！談何容易，駟不及舌，無爲強著一書，受嗤千載也。（〈書志〉篇）

史之於書也，有其事則記，無其事則闕。（〈探賾〉篇）

語曰：「君子於其所不知，蓋闕如也。」故賢良可記，而簡牘無聞，斯乃察所不該，理無足咎。至若愚智畢載，妍媸靡擇，此則燕石妄珍，齊竽混吹者矣。夫名刊史册，自古攸難；事列《春秋》，哲人所重。筆削之士，其愼之哉！（〈人物〉篇）

杜元凱撰《列女記》，博採經籍前史，顯錄古老明言，而事有可疑，猶闕而不載。斯豈非理存雅正，心嫉邪僻者乎？君子哉若人也！長者哉若人也！（〈雜說下〉篇「別傳」條）

因此知幾所說的闕疑，即要求史家持謹愼的敍述態度，對於不可知、不可考的史事，寧可採取保留的態度「闕而不載」，也不要敷演妄溢，虛構失實。

歷史敍述應寓褒貶，則其所敍述的內容固當以人事爲主，因此知幾反對史家以天命之說論斷史事。如《史記・魏世家贊》太史公總論魏國敗亡的關鍵說：「說者皆曰魏以不用信陵君，故國削弱至於亡。余以爲不然。天方令秦平海內，其業未成，魏雖得阿衡之徒，曷益乎？」知幾在〈雜說上〉篇「史記」條下駁其謬論，說：

夫論成敗者，固當以人事爲主，必推命而言，則其理悖矣。蓋晉之獲也，由夷吾之愎諫；秦之滅也，由胡亥之無道；周之季也，由幽王之惑褒姒；魯之逐也，由稠父之違子家。然則敗晉於韓，狐突已志其兆；亡秦者胡，始皇久銘其說；檿弧箕服，彰於宣、厲之年；徵褰與襦，顯自文、武之世。惡名早著，天孽難逃。假使彼四君才若桓、文，德同湯、武，其若之何？苟推此理而言，則亡國之君，他皆仿此，安得於魏無譏者哉？

夫國之將亡也若斯，則其將興也亦然。蓋嬀後之爲公子也，其筮曰：八世莫之與京。畢氏之爲大夫也，其占曰：萬名其後必大。姬宗之在水滸也，鸑鷟鳴於岐山；劉姓之在中陽也，蛟龍降於豐澤。斯皆瑞表於先。而福居其後。向若四君德不半古，才不逮人，終能坐登大寶，自致宸極矣乎？必如史公之議也，則亦當以其命有必至，理無可辭，不復嗟其智能，頌其神武者矣。

夫推命而論興滅，委運而忘褒貶，以之垂誡，不其惑乎？

歷史敍述的作用是彰善懲惡，如果史家論斷成敗不以人事爲主，推由命運之說，則失去歷史敍述褒貶的意義。知幾反對以天命論附會人事，一如反對禨祥附會天人感應。

伍、小　結

綜合上述四類劉知幾所評的僞錄，其實就是知幾分析歷史敍述所以致僞的原因，他所謂的僞錄主要是指歷史敍述中的僞事、僞辭、僞說、僞論。知幾判斷歷史敍述眞僞的標準，往往反映出知幾「求眞」與「求善」的觀念。〈雜說下〉篇「別傳」條說：「夫傳聞失眞，書事失實，蓋事有不獲已，人所不能免也。至於故爲異說，以惑後來，則過之尤甚者矣！」這一段話，知幾已大致將僞錄的成因分作主客觀兩種。我們歸納《史通》的結果發現他分析僞錄的成因至少有四種：第一，曲筆僞說，是就政治壓力言；第二，虛美厚誣，屬於道德問題；第三，引書失誤，是史料的問題；第四，虛構妄論，則牽涉語言因素及史觀問題。

在歷史敍述的實踐中，敍述失實是免不了，知幾就史料問題已表示「事有不獲已，人所不能免」的困難，其所極力反對的是史家「故爲異說」，此尤指「曲筆」而言。知幾深惡痛絕的僞錄是魏收的《魏書》，正因爲《魏書》致僞的最大原因是曲筆。

【附註】

① 見胡氏《少室山房筆叢》卷十三，史書占畢一，四庫全書本。

② 見章氏《文史通義》〈內篇五・史德〉，頁一四四——一四五。

③ 參見姜勝利〈劉、章史識論及其相互關係〉一文。

④ 以下引自梁氏《中國歷史研究法補編》第二章「史家的四長」，頁一六、一八、二一。

⑤ 參見路易士賈茨喬克《理解歷史》，頁一五〇—一六〇。
Louis Gottschalk, "Understanding History: A Primer of Historical Method" (N.Y.: Alfred A. knopt, 1969, 2nd edition), PP 150-160.

⑥ 見《史通通釋・採撰》，頁一一六。

⑦ 見《史通通釋・古今正史》，頁三六五。

⑧ 見《史通通釋・雜說下》「雜識」條，頁五二七。

⑨ 見《史通通釋・稱謂》，頁一〇九。

⑩ 見《史通通釋。雜說中》「後魏書」條，頁四八八。

⑪ 見《史通通釋》，頁三八、八三、九三、九六、九七、一〇九、一一六、一三八、一五一、一六〇、一七八、一七九、一九七、一九八、二一二、二三九、三一七、三六五、四八八、四九〇、五二七、五二八、五三一。

⑫ 見《史通通釋・古今正史》，頁三六五。

⑬ 見《史通通釋・曲筆》，頁一九七、一九八。

⑭ 見《史通通釋・古今正史》，頁三六五。

⑮ 見《史通通釋・曲筆》，頁一九九。

⑯ 見《史通通釋・採撰》，頁一一六。

⑰ 見《史通通釋》〈直書〉〈曲筆〉〈古今正史〉，頁一九四、一九六、三四六。

⑱ 見《史通通釋》〈直筆〉〈古今正史〉，頁一九四、三五八。

⑲ 參見雷家驥〈唐前期國史官修體制的演變——兼論館院學派的史學批評及其影響〉一文。

⑳ 見《史通通釋》〈古今正史〉〈自敍〉，頁三七三、三九四。

㉑ 其疑二，疑堯讓位舜說，及疑三、疑四，疑舜、益的死因，無關「虛美誣書」，故不錄。又疑八、疑九，乃批評《論語》虛美周德和太伯，非關歷史敍述亦不錄。

㉒ 見《史通通釋・採撰》，頁一一六。

㉓ 見《史通通釋・採撰》，頁一一八。

㉔ 見《史通通釋・雜說下》「別傳」條，頁五一七、五一九。

㉕ 見《史通通釋》〈直書〉〈採撰〉〈暗惑〉，頁一九三、一一八、五八八。

㉖ 見《史通通釋・史官建置》，頁三二五。

第六章　結　論

第一節　史通歷史敍述理論述要

綜上所論，得曉知幾因不滿官修制度，憤而撰述《史通》，但設若知幾未嘗深自研究史籍，倉卒之間，憑何對中國史學做廣泛地批評。《史通》撰述的經過如第二章所述，是知不滿官修制度只是導火線而已，知幾天性近史，及入史館以前所建立的史學素養，是他釐定群史的內在因緣。《史通·原序》中知幾說：「嘗以載削餘暇，商榷史篇，下筆不休，遂盈筐篋，於是區分類聚，編而次之。」即表明《史通》的撰寫方式，是以其平常的讀書劄記爲基礎，加以整理編次的。

史學自太史公開創以來，發展至唐初，因爲修史制度的不當，政治因素的干預，史家素質的低落，已危害到史學之所以成立。知幾進入史館以後，痛知時弊，故加速其撥亂反正的決心。因此漢儒標榜太史公實錄的精神，便成知幾建立其史學理論的思想核心。劉向、揚雄、班彪、班固等人推崇《史記》「善敍事理，辨而不華，質而不俚，其文質，其事核，不虛美，不隱惡，故謂之實錄」此乃知幾追求歷史敍述的理想，更是孔子、司馬遷以降史家多未能引伸發揮強調的史學原理。《史通》分析歷史敍述的內容，便以「實錄」為理想的標準，其所倡「實錄」，包括「紀實求眞」和「鑒誡求善」兩層涵義，因此強調公正直筆的敍述態度，主張歷史敍述據事直書外，還要能彰善懲惡。歷史敍述之寓褒貶，是孔子寫《春秋》以來的傳統，因為知幾將道德倫理求善的標準與判斷事實求眞的標準結合為一，因此往往從倫理教化着眼判斷史事眞僞，並要求史家直書善惡，積極選取具有褒貶意義的題材來敍述。

《史通》分析歷史敍述的形式，主要從「體裁」和「語言」這二部分來討論，透過全書的考察，發現知幾辨正史體的觀念，乃受六朝辨析文體的影響，其討論史體諸篇便是採用《文心雕龍》辨體的架構，舉凡溯源、定名、批評、定製的步驟，與《文心》「原始以表末」「釋名以章義」「選文以定篇」「敷理以舉統」的方式雷同，知幾對史體溯源、考流之後，建議史家宜從「簡」「易」入手，因此有甲班乙馬，崇「編年」抑「紀傳」的誤解，事實上知幾主張二體並行不廢。由於紀傳體變成官修史體，其體包舉萬端，已兼融記言、記事、編年、國別諸體裁，體例常有浩繁之失，故有諸篇專論紀傳體的體例。

知幾「實錄」的要求，下貫至敍述歷史人物的語言，因為要求「言必近眞」，所以提出「適時隨俗」之主張，反對盲目擬古。知幾觀察文學流風對歷史敍述的影響，針對歷史敍述的文采提出「文質並重」說，以矯正南朝以來崇尚贍麗的流弊。知幾區分出修辭的種類有「修語辭」和「修文辭」兩種，關於歷史敍述文字之修辭，知幾提出「尚簡」的原則，簡不是「簡單」，而是「簡要」，乃要求歷史敍述所用的文字簡潔有力，並能包羅豐富的內容，這便需要講究修辭的技巧，在「尙簡」原則下，知幾具體提出「敍事」「省字句」「用晦」「用虛」「模擬」等幾個積極修辭技巧。

綜合知幾分析歷史敍述的內容和形式，有兩條最基本的原則，一是「實錄」，一是「簡要」。就敍述內容當求合於事實，逼近於眞相，使讀者透過文字敍述，可以了解事實，透過歷史敍述，除使吾人了解過去、認識過去，進而得知事實的意義，這個意義，往往就是傳統史家所強調的政治教化倫理道德的褒貶意義。就敍述形式而言，爲使文字能正確反映事實，又能發揮歷史鑒誡褒貶的作用，既重視體裁體例的統一，又需講究敍事的方法以及修辭的技巧。爲了貫求其理想歷史敍述的實踐，知幾還提出了「史才三長」說，這是史家從事歷史敍述時所應貯備的素養。並且批評各種「僞錄」，指出歷史敍述所以致僞的原因，警惕史家。

以上所論，乃個人整理《史通》歷史敍述理論的淺見，遺漏之處或許不少，但已略可觀出《史通》論歷史敍述，宛然成一體系，而且條理甚具。

第二節　史通歷史敍述理論的價值

壹、史通歷史敍述理論的成就

一、我國第一部分析歷史敍述虛構的著作

歷史敍述是運用語言文字以敍述歷史事實的一種活動。從歷史敍述的實踐，我們知道歷史敍述不可能全如過去，因爲史家不可能目睹過去每一個人、每一件事。①所以要求歷史敍述一如過去，是不可能的，歷史敍述最值得珍貴的是極近於眞。②

《史通》評僞錄的同時，分析了歷史敍述之所以致僞的原因，從主觀、客觀因素，歸納起來約有四類：㈠曲筆僞說，㈡虛美厚誣，㈢取材不當，㈣虛構妄論。知幾具體從政治、道德、史料、語言等各方面說明造成歷史敍述虛構的情形，這個貢獻相當可觀。

二、我國第一部研究史書體裁體例的著作

《四庫全書總目提要・史評類序》云：

> 春秋筆削，議而不辨，其後三傳異詞。史記亦自爲序贊，以著本旨，而先黃老，後六經，退處士，進姦雄；班固復異議焉。此史論所以繁也。其中考辨史體，如劉知幾、倪思諸書，非博覽精思，不能成帙，故作者差稀。

紀昀已率先肯定《史通》考辨史體的價值，這裏提到史論之作由來已久，《左傳》《史記》已發其端，像漢賈誼的〈過秦論〉，陸機的〈辨亡論〉等史論，或言史家之總，或論仁義道德，或議記述之實，各有所偏且間略不足觀，未足建構系統成爲批評理論，尤其討論史學史體更少，若有則肇於劉向、揚雄、班氏父子之評《史記》，范曄之評《漢書》，基於斷代成書的主觀立場批評通史的疏隔。直到劉

勰《文心雕龍・史傳》篇略述史傳文的源流與發展，限於篇幅亦未能考辨史體。劉知幾作《史通》在《文心雕龍》的基礎上，除了溯源、考流之外，又進一步考辨史體得失及具體作法，實爲我國第一部研究史體的理論專著。

三、我國第一部討論歷史敍述修辭的著作

一般認爲文學創作要講究修辭，其實史家從事歷史敍述也需要修辭，如果敍述文字索然無味，必然引發不起讀者閱讀的興趣。又章學誠〈與陳觀民工部論史學〉說：

亦有史筆不具專家之長，而以因襲之文爲重者。如班氏資洪範於劉更生，沈約襲垂象於何承天，豈班、沈之學，勝於劉、何？然不自爲功，而因長見取，亦史家之成例。……夫文士勦襲之弊，學史家運用之功，相似而實相天淵。勦襲者惟恐人知其所本，運用者惟恐人不知其所本。不知所本，無以顯其造化鑪錘之妙用也。③

歷史敍述不能向壁虛設，爲了愼重，因襲前文，繼承前代的歷史敍述是免不了的，章氏稱此爲史家運用之功，不同於剽竊，史家引述前文也需要剪裁和潤飾④，並不能機械式的因襲模擬，凡此諸問題，爲使歷史敍述生動優美有餘味，前人均未曾論及，《史通》着眼於史學所提出的修辭論，有別於前人從文學、訓詁、文章學等角度來討論修辭，對於歷史敍述的貢獻很大，尤其是寫人敍事的方法，提供後世史家從事歷史敍述時許多借鏡。

四、我國第一部嚴明史料與小說不同的著作

中國古代史料和小說常混淆不清，蒲安迪認爲此乃史傳、小說通常採用同樣的寫人敍事法。⑤劉知幾是第一個將之辨析區分，辨別信史與小說的人，〈雜述〉篇中將上古以來的「偏記小說，自成一家」到近古「其流漸繁」，分類辨體其流爲十：一曰偏紀，二曰小錄，三曰逸事，四曰瑣言，五曰郡書，六曰家史，七曰別傳，八曰雜記，九曰地理書，十曰都邑簿。從知幾所舉實例看來，這十流大體可分作二類，一類近於史料，如偏紀、小錄、郡書、家史、別傳、地理書、都邑簿等著作「皆記即日當時之事」，雖「語多鄙樸，事罕圓備」，但「求諸國史，最爲實錄」，具有較高史料價值；一類近於傳聞，如逸事、瑣事、雜記諸體，則指傳聞、記異、志怪之類，如習而不察，采入史傳，「編簡一定，膠漆不移」「庶彼虛詞，成茲實錄」，便違背了歷史敍述的基本要求——實錄。

劉知幾雖沒有改變〈漢志〉以來輕視小說的傳統觀念，但明確分別小說、史傳本質各異，這顯示了唐代小說創作已有蓬勃發展的趨勢。

貳、史通歷史敍述理論的影響

一、教化觀點爲古文學家的依據

唐初史家論文反對浮華，以文學爲倫理教化的工具，劉知幾衡量文學作品能否傳之不朽，也以懲惡勸善爲宗旨，這些意見，無形中支持了古文運動實用理論，劉若愚便提到實用理論主要基「文學是達到政治、社會、道德，或教育目的手段這概念」，又說「實用理論中，注意力的焦點，不可避免地集中於文學對讀者的長遠影響。」⑥如此說來知幾論文學功能，對古文運動「文以載道」「文以明道」「道因文而明」「文因道而傳」「爲道學文」「爲道作文」等主張，實具無形的影響作用。

二、用晦之道每爲後世詩家所採

詩是精煉的語言，用有限的文字，表達豐富的意念，史通敍事篇所說用晦之道，頗適用於詩。其所謂「發語已殫，而含義未盡」，即指含蓄之意，意在言外，言有盡而意無窮，唐宋以後文論家每公認此爲「天下之至言」。最明顯的是「一言而巨細咸該，片語而洪纖靡漏」二句，劉禹錫逕用以論詩云：「片言可以明百意，……工於詩者能之」。⑦

三、模擬層次說影響文學創作論

劉知幾在〈摸擬〉篇中說到模擬的層次有「貌同心異」和「貌異心同」兩種。並引《韓非子・五蠹》篇語「世異則事異，事異則備變」，認爲貌同心異的模擬襲用古人成事成句堆砌爲文，爲模擬之下。按劉氏之意，貌指外表的事、文、詞，心指內在眞實的本質，從學古一途，知幾允「貌異心同」的模擬爲模擬之上。這種「模擬」的方法，是教人學習古人優秀的書法和筆法並非復古之意。唐古文運動領導人物韓愈頗採其意，所謂「唯陳言之務去」的觀點，即指「貌同心異」的模擬；「師其意不師其辭」的主張，又與「貌異心同」的模擬謀合。⑧另外宋代江西詩派創始人黃山谷，「規模其意而形容之」的脫胎法，和「不易其意而造其語」的換骨法，明公安竟陵派主張「獨抒性靈」，清劉熙載《藝概》：「不必其文之相似」等論調，都與劉知幾反「貌同心異」的模擬相當接近。⑨

四、史才三長說影響文學修養論

劉知幾論史才三長，本亦優秀文才不可或缺的修養。清葉燮《原詩》一書論詩，提倡主客觀條件統一的主張便間接受知幾影響。主觀條件爲才、膽、力、客觀條件爲理、事、情，詩歌內容要能表現客觀事實中的理、事、情，才能不謬、不悖、可通，而要能正確表現這三者，則要靠主觀條件，即才、膽、識、力的作用。知幾論才、學、識三長以「識」爲中心，而葉氏論四個主觀客觀條件時亦以「識」爲重，因爲「識爲體而才爲用」「識明則膽張」，反之，如果無「識」，則三者俱無所托。⑩

第三節　史通歷史敍述理論總評

《史通》有關歷史敍述的言論，所以具備成爲一本理論著作的條件，是因爲《史通》並不是零碎的見解或意見的簡單滙集，它除了有理論著作的普遍的概括性和客觀的具體性外，還有理論著作應具有的系統性和邏輯性。

當然《史通》的理論系統不是憑空向壁虛造的，好比《文心雕龍》總結先秦兩漢以至魏晉南朝的文學創作經驗，而成爲中國文學批評史上第一本文學理論專著一樣，《史通》也是累積了先秦兩漢以來，魏晉南北朝以至唐初，長時期修史經驗所總結的成果，而成爲中國史學史上第一本史學理論專著。就此首創性而言，大多數學者都認爲《史通》有許多地方乃取法於《文心雕龍》，受到六朝文學批評觀念的啓發。

《史通》身為第一本史學理論專著，其總結性和開創性是顯而易見的。然而《史通》以劄記的方式寫成，其理論的系統性和邏輯性，卻較難發現，以至研究者常指摘《史通》矛盾的言論，似乎是一種慣例。⑪本文旨在整理《史通》論述歷史敍述的理論體系，研究中發現所謂的矛盾，或因《史通》語義模糊的關係，或因研究者未能掌握體系之全豹，而有一些誤解，以個人學殖不深不敢妄斷古人，故僅設疑而不設糾繆，研究時透過全盤的考察核對，有些矛盾已得到圓滿的理解，行文時都已論及，此處不再贅言。

《史通》身為一理論著作，對史書體裁、修史體例，已提出一套標準和主張。又對史籍分類納子部小說家街談巷議之作入雜述之列，重新賦小說家言一個歷史價值，足堪標舉。然而其基於偏好《左傳》，於是辨體時往往過褒編年之長，而嚴訶紀傳之失；至其着眼斷代較通史體，易於尋討為功，而論《史》《漢》優劣，並非抹殺《史記》的優越性。不過知幾這種從簡的主張，並非完全適用，譬如後志重複前志部分，正可考見歷代圖籍之存佚，在目錄學上的價值極高；又如天文志的記載，知幾認為只要記錄當代的異象，但是有時候一些天文異象，要靠常象的記錄，才能觀察到，因此並不是只有異象才值得記錄，而且透過天文志的記載，可以觀察古人天文概念，其價值是不可磨滅的。

知幾最激賞《左傳》的體簡文約，於是走上了「體簡易明」、「文約事豐」的理論訴求，以此架構批評歷史敍述的體裁和文字，固成一套完整連貫的體系，但有時確有實踐的困難，如其一方面反對歷史敍述虛構夸飾的文字，另方面舉例說明用晦之道時，竟舉了運用夸飾手法，以達敍事委婉的例子，顯然二者之間，存在著歷史敍述實踐的難題，現代學者討論歷史敍述都已注意到歷史敍述不能完全「如眞」，只能盡量做到「近眞」⑫。

知幾並未討論到歷史敍述「經驗上不能眞確的傳述」「意義上不能豐盛的表達」等問題，只在〈雜說下〉篇「別傳」條下批評揚雄時，提及「非知之難而行之難也」這一句話。《史通》中反對駢文入史，卻又自爲駢文，不正應驗這一句話嗎？

知幾是一個優秀的史家，用歷史的眼光來觀察問題、分析問題是其專長。早於知幾二百年的劉勰，便使用歷史觀察法來研究文學，而作了《文心雕龍》，不可否認的《史通》確有一些論點得自《文心》的啓發，如《文心·通變》篇，專論文學的繼承和創新，《史通》中討論史體的繼承與發展，觀察語言文字文質的遞變，以及其模擬論，似乎都是通變的觀念，有關這些問題，甚至《文心》《史通》討論歷史敍述比較，日後則另外撰文繼續探討。

【附註】

① 人類對過去發生興趣，開始記錄往事而有了歷史敍述，但歷史並不等於過去，英國史家浦朗穆（J.H. Plumb）在其所著《過去的死亡》（The Death of the Past）一書中提出歷史也有死亡一說，因爲歷史人物無法再生、歷史事件無法重演，所以歷史並非眞正的過去，而是史家思想、立場、動機、時代再創造出來的。參見杜維運《中西古代史學比

較》，頁三二——三三。

② 參見杜氏《史學方法論》第十八章「史學上的美與善」，頁二八九。

③ 見《文史通義》補遺，頁五八八。原見《章氏遺書》，卷十四。

④ 參見杜氏《史學方法論》第十六章「引書的理論與方法」，頁二六〇——二七六。

⑤ 參見蒲安迪〈中國長篇小說的結構問題〉一文，《文學評論》第三集，頁五七。

⑥ 見劉若愚著、杜國清譯《中國文學理論》第六章「實用理論」，頁二二七——二四八。

⑦ 參見牟世金〈劉知幾對古代文論的新貢獻〉一文，頁三七——三九。牟氏並認爲《史通‧敍事》篇所說的「用晦之道」，所謂「以少總多」「擧重明輕」的方法，是受《文心雕龍》〈隱秀〉〈物色〉兩篇的影響。案：知幾將描寫景物的方法運用在敍事，表現了通變的精神，也可說是一種創新。

⑧ 可參見李少雍〈劉知幾與古文運動〉一文的說明，頁三六——三七。另韓愈交游中與史官相當接近，觀念上受劉氏的啓發極有可能，可參見張榮芳〈唐代史官入仕途徑、地域與交遊之分析〉一文的推論，頁二二四，及羅聯添《韓愈研究》，頁一七五——一七九。

⑨ 參見牟氏〈劉知幾對古代文論的新貢獻〉一文，頁三二。

⑩ 參見《中國古代文學理論辭典》，頁二七一。

⑪ 如許冠三《劉知幾的實錄史學》餘論：「史通之牴牾及其他」，林時民《劉知幾史通之研究》第七章「史通的缺失」指出《史通》自戾、謬誤、過激三點。

⑫ 同註②，另參楊周翰〈歷史敍述中的虛構——作爲文學的歷史敍述〉一文。

附表：《隋志》、《史通》史籍分類對照表

隋書經籍志		史通
史部	正史類	正史
	古史類	古史
	雜史類	
	霸史類	偏紀
	起居注類	小錄
	舊事類	逸事
	職官類	瑣言
	儀注類	郡書
	刑法類	家史
	雜傳類	別傳
	地理類	雜記
	譜系類	地理書
	簿錄類	都邑簿
子部	小說家	
		雜述
		古今正史

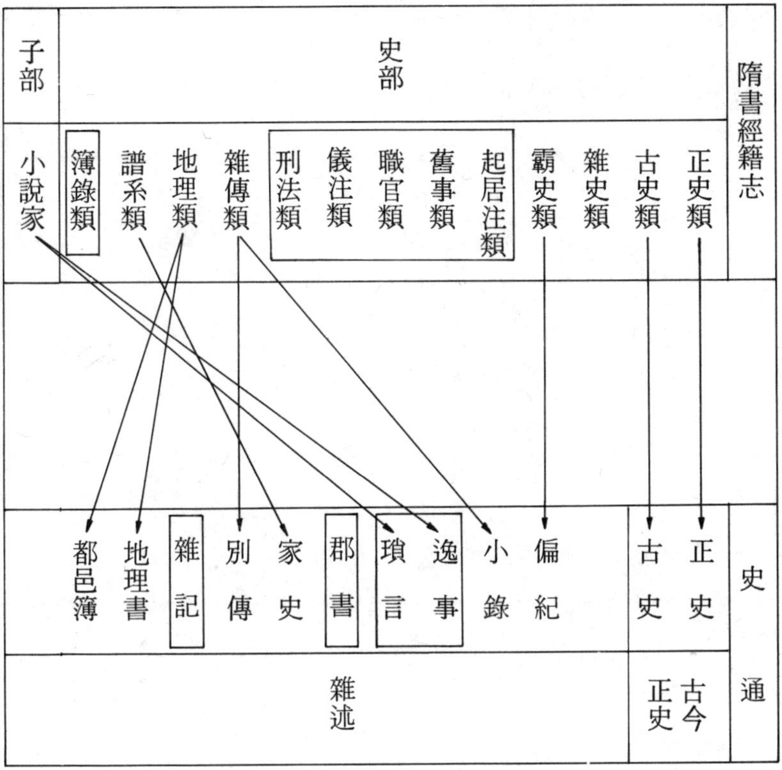

參考書目

一、史通原典及古注本

史通二十卷　（唐）劉知幾撰　明正德嘉靖間蜀刊本　中央圖書館藏

史通二十卷　（唐）劉知幾撰　明嘉靖間陸深刊本　中央研究院藏

史通二十卷　（唐）劉知幾撰　明萬曆五年張之象刊本　中央研究院藏

史通二十卷　（唐）劉知幾撰　明萬曆壬寅（三十年）張鼎思校刊本　中央圖書館藏　臺灣商務印書館四部叢刊册十六

史通二十卷　（唐）劉知幾撰　明天啓崇禎間李維禎評・郭孔延附評並釋刊本　中央圖書館藏

史通二十卷　（唐）劉知幾撰　清烏絲闌舊鈔本　中央圖書館藏

史通二十卷　（唐）劉知幾撰　文淵閣四庫全書册六八五　臺灣商務印書館

史通會要三卷　（明）陸深撰　明嘉靖二十四年陸氏家刊本　中央圖書館藏

史通評釋二十卷　（明）李維禎評・郭孔延附評釋　明萬曆間刊本　中央研究院藏

史通訓故二十卷　（明）王惟儉撰　明刊本　中央研究院藏

史通通釋二十卷　（清）浦起龍注　文淵閣四庫全書册八六五　里仁書局鉛印標點本　民六九年九月二十日

史通削繁注　（清）紀昀削繁　廣文書局影印

二、其他相關古籍

左傳會箋三〇卷　竹添光鴻會箋　文史哲出版社　民六〇年二月影印初版

史記會注考證一百三十卷　（漢）司馬遷著　（日人）瀧川龜太郎考證　洪氏出版社學人版　民七十年十月十日初版

漢書一百二十卷　（漢）班固著　鼎文書局新校標點本　民六九年三月初版

後漢書一百二十卷　（宋）范曄著　鼎文書局新校標點本　民六九年三月初版

宋書一百卷　（梁）沈約著　鼎文書局新校標點本　民六九年三月初版

隋書八十五卷　（唐）魏徵等著　鼎文書局新校標點本　民六九年三月初版

舊唐書二百卷　（後晉）劉昫著　鼎文書局新校標點本　民六九年三月初版

新唐書二百二十五卷　（宋）歐陽修、宋祁合著　鼎文書局新校標點本　民六九年三月初版

唐會要一百卷　（宋）王溥等編　世界書局　民四九年十一月初版

廿二史劄記三十六卷　（清）趙翼著　世界書局　民四七年十一月版

文史通義內篇六卷外篇三卷補遺二卷　（清）章學誠撰　國史研究室編　漢聲出版社　民六二年四月增訂二版

陸士衡集十卷附札記　（晉）陸機著　小萬卷樓叢書本　叢書集成新編文學類冊五九頁三一六～三四〇　新文豐出版公司　民七四年初版

文苑英華一千卷　（宋）李昉等編　文淵閣四庫全書冊一三三三～一三四二　臺灣商務印書館

焦氏筆乘正六卷續八卷　（明）焦竑著　粵雅堂叢書本　叢書集成新編文學類冊八八頁二〇七～二八五　新文豐出版公司　民七四年初版

少室山房筆叢正集三十二卷　（明）胡應麟著　文淵閣本四庫全書冊八八六　臺灣商務印書館

十駕齋養新錄二十卷餘錄三卷　（清）錢大昕著　世界書局　民五二年

全上古三代秦漢六朝文　（清）嚴可均輯　世界書局

全唐文一千卷拾遺七十二卷續拾遺十六卷　（清）董誥等編　陸心源補輯大化書局　民七六年三月初版　四月初版

四庫全書總目提要一百八十五卷　（清）紀昀等著　文淵閣本　藝文印書館

三、民國以來直接研究史通的著作

㈠專　書

史通作者劉知幾研究　傅振倫著　民四五年文星書店臺一版
劉知幾年譜　傅振倫編　上海商務印書館　一九五六年重印第一版
唐劉子玄先生知幾年譜　傅振倫編著　台灣商務印書館　民五五年五月臺一版（據一九六四年北京修訂本影印）
史通　劉虎如選註　台灣商務印書館　民五六年四月一版
史通評　呂思勉著　台灣商務印書館　民六〇年二月臺二版
史通箋記　程千帆著　北京中華書局　一九八〇年十一月第一版
史學三書平議　張舜徽著　弘文館出版社　民七五年九月臺一版
史通箋注上、下册　張振珮著　貴州人民出版社　一九八五年十二月第一版
劉知幾的實錄史學　許冠三撰　香港中文大學出版社　一九八三年初版
劉知幾史通之研究　林時民著　文史哲出版社　民七六年十月初版
史通新校注　趙呂甫著　重慶出版社　一九九〇年八月

㈡學位論文

史通修史觀述評　王明妮著　輔大中研所碩士論文　民七一年一月
劉知幾及其史通　林時民著　師大史研所碩士論文　民七一年

批判史學的批判　劉知幾及其史通研究　張三夕著　華中師範大學博士論文　一九八六年　文津出版社　民八一年九月臺一版

史通理論體系研究　趙俊著　華東師範大學博士論文　一九八八年

㈢論文集

劉知幾與章實齋之史學　張其昀著　中國史學史論文選集第二冊頁七三八—七八四　華世出版社　民六五年九月初版

劉知幾的疑古惑經說與歷史求眞　閻沁恒著　中央研究院國際漢學會議論文集頁六五三—六六一　民七〇年十月

史通點煩篇臆補　洪業著　洪業論學集頁一四〇—一四九　民七一年七月初版

〈韋弦〉〈愼所好〉二賦非劉知幾所作辨　洪業著　洪業論學集頁三七六—三八三　民七一年七月初版

史通與文心之文論比較　陳耀南著　唐代文學研討會論文集頁二三七—二六四　香港浸會學院中國語文學系主編　文史哲出版社　民七六年四月

唐兩通之撰作及其關係　曾一民著　中西史學史研討會論文集（第二屆）頁七七—一〇〇　國立中興大學歷史系主編　久洋出版社　民七六年八月初版

試論劉知幾的史法　林時民著　中西史學史研討會論文集（第二屆）頁一〇一—一二四　國立中興大

學歷史系主編　久洋出版社　民七六年八月初版
劉知幾「明鏡說」析論稿　雷家驥著　唐代文化研討會論文集頁二一五—二四〇　文史哲出版社
民八〇年七月初版
※　※　※　※　※
論劉知幾的學術思想　侯外廬著　中國史學史論集㈡頁一—一六　上海人民出版社　一九八〇年一
月第一版
論劉知幾的史學　翦伯贊著　中國史學史論集㈡頁一七—五七　上海人民出版社　一九八〇年一月
第一版
劉知幾的史學　白壽彝著　中國史學史論集㈡頁五八—一一二　上海人民出版社　一九八〇年一月
第一版
劉知幾的進步的歷史觀　任繼愈著　中國史學史論集㈡頁一一三—一二〇　上海人民出版社　一九
八〇年一月第一版
劉知幾與史通　楊翼驤著　中國史學史論集㈡頁一二一—一五九　一九八〇年一月第一版
劉知幾的史學思想和他對於傳統正統史學的鬥爭　盧南喬著　中國史學史論集㈡頁一六〇—一六九
一九八〇年一月初版
劉知幾對古代文論的新貢獻　牟世金著　唐代文學第一集頁二〇—四〇　西北大學編　陝西人民出

版社　一九八二年
劉知幾史通的文學思想　邱世友著　唐代文學第四集頁三八—六三　西北大學編　陝西人民出版社
一九八二年
劉知幾史通與劉勰文心雕龍　蔣祖怡著　文心雕龍論叢頁二六六—二七九　上海古籍出版社　一九
八五年八月
《史通》與《論衡》比較研究　符定波著　中國歷史文獻研究第一輯頁一五九～一六五　張舜徽主
編　武昌華中師範大學出版社　一九八六年八月第一版
《史通》編撰問題辯正　喬治忠著　中國歷史文獻研究第一輯頁一六六—一七六　張舜徽主編　武
昌華中師範大學出版社　一九八六年八月第一版
劉知幾的治史態度和史學思想　趙文潤著　隋唐人物述評頁三五五—三七四　陝西師範大學出版社
一九八九年四月第一版
劉知幾的修史主張　牛致功著　唐代的史學與通鑑頁一五九—一八〇　陝西師範大學出版社　一九
八九年五月第一版
《史通》版本源流考　張新民著　中國歷史文獻研究第三輯頁一五〇—一五六　張舜徽主編　武昌
華中師範大學出版社　一九九〇年七月第一版
《史通》內篇札記　張振珮著　歷史文獻研究北京新一輯頁三—一九　劉乃和主編　北京燕山出版

社　一九九〇年十月第一版

《史通》的刊印流傳與研究　傅振倫著　歷史文獻研究北京新一輯頁一二三—一二五　劉乃和主編　北京燕山出版社　一九九〇年十月第一版

論劉知幾的直書思想　牛潤珍著　紀念陳垣校長誕生一一〇周年學術論文集頁四一五—四三二　劉乃和主編　北京師範大學出版社　一九九〇年十月第一版

(四)期　刊

劉知幾史通之文學概論　宮廷璋著　師大月刊第二期頁五九—七二　民二二年一月

劉知幾年譜　周品瑛著　東方雜誌第卅一卷第十九號頁一八一—一九〇　民二三年

劉知幾與章學誠　甲凱著　東方雜誌復刊第八卷第三期頁五三—五六

劉知幾與史通　丁志達著　輔大歷史學會史苑八期頁一—七　民五六年五月

略談彰善貶惡的史學——劉知幾史學初探　周樑楷著　史苑九期　民五七年一月廿五日

劉知幾的史通與史學　邱添生著　國立台灣師範大學歷史學報第九期頁五一—七二

劉知幾與史通　郭紀青著　台中師專學報第十期頁九三—一一三　民七十年

史通在中國文學上的價值　鄭志明著　孔孟月刊第廿三卷一一期頁二〇—二四　民七四年七月

《史通》〈疑古〉〈惑經〉篇形成的背景　逯耀東著　當代第十期頁六二—六九　民七六年二月一日

史通著錄版本源流考　莊萬壽著　中國學術年刊第九期頁七一—八二　民七六年六月
劉知幾實錄史學與孔子思想的關係之研究　莊萬壽著　中國學術年刊第十期頁二五五—二七〇　民七八年二月
劉知幾與鄭樵史學之探討　吳天任著　東方雜誌復刊第二十二卷第九期頁二〇—二八　民七八年三月
史通析微　龔鵬程著　幼獅學誌第二〇卷四期頁二九—六〇　民七八年十月
劉知幾的多元民族觀　莊萬壽著　中國唐代學會會刊第三期　民八一年十月

※　※　※　※　※

史通版本源流考　傅振倫著　圖書館第二期　一九六二年六月
劉知幾、鄭樵、章學誠的史學成就及其異同（上、下）　蘇淵雷著　上海師範大學學報一九七九年第四期頁五一—七七　一九八〇年第二期頁五一—八七
《史通》內篇舊解訂訛　程千帆著　南京大學學報一九八〇年第二期頁八四—九〇
評劉知幾對三國志的評論　張孟倫著　中華文史論叢一九八〇年第三期頁五五—六〇
劉知幾的文學批評　張錫厚著　四川師範學院學報一九八〇年第四期頁三一—三七，八
試論劉知幾對史學的貢獻　鄧瑞著　學術月刊一九八〇年第十期頁四四—四七
略論劉知幾的史學成就　曾慶鑒著　史學史研究一九八一年第二期頁九—二一

劉知幾的《史通》　微知著　書林一九八一年第三期頁二九—三〇
《史通》的歷史地位　劉文英著　文史哲一九八一年第六期頁七〇—七七
劉知幾史通的史傳文學理論　吳文治著　江漢論壇一九八二年第二期頁六〇—六四
讀史通札記　瞿林東著　史學史研究一九八二年第二期頁二四—二九，六八—六九
劉、章史識論及其相互關係　姜勝利著　史學史研究一九八三年第三期頁五五—五八
《史通》尊班抑馬辨　楊緒敏著　徐州師範學院學報一九八三年第三期頁一一九—一二三
劉知幾抑馬揚馬辨　許凌雲著　江漢論壇一九八四年第十一期頁六七—七二
劉知幾關於史漢體例的評論　許凌雲著　史學史研究一九八五年第四期頁三〇—三六
劉知幾論史傳文學　符定波著　常德師專學報一九八五年第四期頁五五—六一
從史通中的疑古惑經篇看劉知幾的史學批判精神　王振寧著　鐵嶺師專學報一九八六年第一期頁三〇—三四
劉知幾史學理論初探　張振珮著　貴州文史叢刊一九八六年第三期頁七九—八三
《史通》徵引古籍及其存佚　王春南著　南京大學學報一九八六年增刊（社會科學文集）頁二〇六—二〇八
取精用宏鈎深致遠——評張振珮《史通箋注》　張三夕著　史學史研究一九八七年第一期頁六三—六六

劉知幾與史通　楊緒敏著　淮海學刊一九八七年第四期頁七六—八二

史通的歷史文學理論　李成良　邱遠應合著　西南民族學院學報一九八八年第一期頁八〇—八七

《史通》的求實精神　李秋沅著　史學史研究一九八八年第二期頁一四—二一，一三

《史通》評釋諸本述略　張新民著　文獻一九八八年第二期頁一一四—一二〇

劉知幾的修辭觀——我國第一部史論修辭著作《史通》評說　宗廷虎著　揚州師院學報一九八八年第二期頁五三—五八

劉知幾在古文獻學上的成就　孫欽善著　文獻一九八八年第四期頁二二一—二三〇

史通方法論　趙俊著　華東師範大學學報一九八八年第六期頁七九—八七

劉知幾與古文運動　李少雍著　文學評論一九九〇年第一期頁二六—三七

(五)外　文

史通の六家二體の論に就て　內藤戊申著　史林第二十二卷第三號頁一七〇—一八三　一九三七年七月

明代史通學　增井經夫著　東方學第十五輯頁一二—二〇　一九五七年十二月二十日第一版

史通淺說——唐代史官の史學理論　稻葉一郎著　東洋史研究第二十二卷第二號頁二八—六〇　一九六三年十月三十一日

劉知幾論　大濱皓著　宇野哲人先生白壽祝賀記念東洋學論叢　頁三五一—三六七　宇野哲人先生白壽祝賀記念會編　東京編者印行　一九七四年十月一日

劉知幾の歷史觀　大濱皓著　中國・歷史・運命——史記と史通　頁二〇五—三一一　東京勁草書局　一九七五年一月二十日第一版

史通の成立について　榎一雄著　國學院雜誌第七十七卷第三號——石田幹之助博士追悼號　國學院大學編　一九七六年三月十五日

中國史學理論の特質——劉知幾の史通を中心として　貝塚茂樹著　貝塚茂樹著作集第七卷頁三二九—三三二　東京中央公論社　一九七七年三月十日

史通　貝塚茂樹著　貝塚茂樹著作集第七卷頁三九五—四〇七　東京中央公論社　一九七七年三月十日

「史通」疑古篇論考——述者の意識　福島正著　中國思想史研究第四號——湯淺幸孫教授退官記念論集頁一三一—一六〇　京都大學中國哲學史研究室編　一九八一年三月三十一日

「史通」の勸善懲惡論　鈴木啓造著　歷史における民衆と文化——酒井忠夫先生古稀祝賀記念論集頁二三七—二五一　酒井忠夫先生古稀祝賀記念の會編　東京國書刊行會　一九八二年九月十

范曄と劉知幾　吉川忠夫著　六朝精神史研究第五章頁一六五—一八四　京都同朋舍出版株式會社　一九八四年二月二十九日初版

史通　增井經夫著　中國の歷史書——中國史學史頁一〇九—一二〇　刀水書房　一九八四年七月

二十日

「史通」の成立　その文獻學的考察　稻葉一郎　關西學院創立百周年文學部記念論文集　一九八九年十一月二十日

E. G. Pulleyblank（浦立本）, "*Chinese Historical Criticism: Liu Chih-chi and Ssu-ma Kuang*"（中國歷史批評論：劉知幾和司馬光）, in "*Historians of China and Japan*"（中日史學家）, W. G. Beasley & E. G. Pulleyblank, eds., London: Oxford University Press, 1961. pp135-166.（台北：虹橋書店，民六一年七月十六日臺一版）

Stephen W. Durrant（杜潤德）, "*Liu Chih-chi on Ssu-ma Ch'ien*"（劉知幾論司馬遷）,in "第一屆國際唐代學術會議論文集", 台北：中國唐代學會編, 1989, pp36-53.

William H. Nienhauser, Jr.（倪豪士）, "*Liu Chih-Chi*", in "*The Indiana Companion to Traditional Chinese Literature*", pp 576-578, Taipei: Southern Materials Center, Inc.（南天書局）, 1988, 2nd revised edition（Taiwan edition）.

William Hung（洪業）, "*A T'ang Historiographer's Letters of Resignation*"（與蕭至忠諸史官書）, Vol.29 in HJAS, 1969, pp5-52.

四、其他相關著作

㈠歷史專著

中國史學史　李宗侗著　中華文化出版事業委員會　民四四年五月再版
中國史學史　金靜庵著　漢聲出版社　民六一年十月廿五日臺一版修訂本
中國史稿第四册　郭沫若主編　北京人民出版社　一九八二年二月第一版
中國史學史稿　劉節著　弘文館出版社　民七五年六月臺一版
中國史學發展史上、下册　尹達主編　河南中州古籍出社　一九八五年第一版
中國史學史第一册　白壽彝著　上海人民出版社　一九八六年八月第一版
中國古籍研究叢刊　劉國鈞等著　明倫出版社　民六〇年十月
中國史學名著　錢穆著　三民文庫一六八①、②　三民書局　民六二年二月初版
中國史部目錄學　鄭鶴聲著　華世出版社　民六三年十月臺一版
中國歷史名著欣賞　古典新刊三十　莊嚴出版社　民六七年
史部要籍解題　王樹民著　北京中華書局　一九八一年第一版　木鐸出版社　民七二年九月臺一版
中國史學名著解題　張舜徽主編　北京中國青年出版社　一九八四年二月第一版
中國歷史書籍目錄學　陳秉才　王錦貴合著　北京書目文獻出版社　一九八四年五月第一版
史籍舉要　柴德賡撰　漢京文化事業有限公司　民七四年十月卅日初版
中國史學名著概說　周佳榮著　香港教育圖書公司　一九八六年一月第一版

中國歷史文獻學　楊燕起　高國抗主編　北京書目文獻出版社　一九八九年九月第一版
中國史學名著評介三卷　倉修良主編　山東教育出版社　一九九〇年二月第一版
中國歷史研究法　梁啓超著　上海商務印書館　民三六年七版
中國歷史研究法補編　梁啓超著　上海商務印書館　民三六年六版
史學纂要　蔣祖怡編著　正中書局　民三三年七月渝版　民四一年十一月臺一版
論傳統歷史哲學　張蔭麟著　中央文物供應社　民四二年十一月初版
史學原論　李思純譯述　台灣商務印書館　民五七年一月臺一版
歷史論集　王任光譯　幼獅文化事業公司　民五七年十二月初版
史學方法論　伯倫漢（E. Bernheim）著　陳韜譯　台灣商務印書館　民五九年二月臺二版
歷史哲學　羅光著　台灣商務印書館　民六二年五月初版
史學方法大綱　陸懋德著　華世出版社　民六四年六月初版
史學通論　周簡文編著　正中書局　民六六年十一月臺一版
歷史的功用　廖中和譯　幼獅文化事業公司　民七〇年十月三版
史學導論　甘特　施奈德合著　涂永清譯　水牛出版社　民七三年一月卅日出版
史學通論　甲凱著　台灣學生書局　民七四年九月初版

史學與史學方法上、下册　許冠三著　香港龍門書店　一九七五年九月新版
史料與史學　木鐸出版社　民七六年元月初版
史學方法論　杜維運著　三民書局　民六八年二月初版　民七六年九月增訂九版
歷史與思想　余英時著　聯經出版事業公司　民六五年九月初版　民七七年四月第十三次印行
歷史的理念　R. G. Collingwood著　黃宣範譯　國立編譯館主編　聯經出版事業公司　民七〇年三月初版　民七五年三月第五刷
史學與傳統　余英時著　時報文化出版公司　民七一年一月一日初版
國史探微　楊聯陞著　聯經出版事業公司　民七二年三月初版
唐代的史館與史官　張榮芳著　東吳大學中華學術論文獎助論叢　民七三年六月（民七〇年臺大史研所碩士論文）
中西古代史學比較　杜維運著　東大圖書公司　民七七年八月初版
史傳通說　汪榮祖著　聯經出版事業公司　民七七年十月初版
中國經學發展史論上册　李威熊　文史哲出版社　民七七年十二月初版
唐代的史學與通鑑　牛致功著　陝西師範大學出版社　一九八九年五月第一版
中古史學觀念史　雷家驥著　臺灣學生書局　民七九年十月初版

司馬遷與其史學　周虎林著　文史哲出版社　民六七年七月初版　民七六年七月三版
司馬遷之學術思想　賴明德著　洪氏出版社　民七一年三月初版
章學誠和《文史通義》　倉修良著　北京中華書局　一九八四年十二月第一版
中國史學家評傳三册　陳清泉等編　河南中州古籍出版社　一九八五年三月第一版

(二)文學專著

文體論纂要　蔣伯潛著　正中書局　民四八年七月台一版
文體論　薛鳳昌著　台灣商務印書館　民五九年
文學概論　王夢鷗著　藝文印書館　民六五年五月初版
文章學概論　張壽康主編　山東教育出版社　一九八三年六月第一版
古代散文文體概論　陳必祥著　文史哲出版社　民七六年十月臺一版
文學原理　王元驤　浙江教育出版社　一九八九年四月第一版
文學原理創作論　杜書瀛著　北京社會科學文獻出版社　一九八九年九月第一版
論魏晉以來之崇尚談辯及其影響　牟潤孫著　香港中文大學　一九六五年
中古文學史論　王瑤著　長安出版社　民六四年十月臺一版
魏晉南北朝文學思想史　張仁青著　文史哲出版社　民六七年十二月初版

隋唐五代文學思想史　羅宗強著　上海古籍出版社　一九八六年八月第一版
中國文學批評史　羅根澤著　學海出版社　民六七年九月臺一版
中國文學批評史　郭紹虞著　文史哲出版社　民七一年九月再版
中國歷代文學論著精選（全三册）　華正書局　民六九年四月版臺一版
中國文學理論　劉若愚撰　杜國清譯　聯經出版事業公司　民七〇年九月初版
中國文學理論批評史（上）　敏澤著　北京人民文學出版社　一九八一年五月第一版
中國文學理論史(二)　蔡鍾翔　黃保眞　成復旺　北京出版社　一九八三年十月第一版
中國古代文學理論名著題解　合肥黃山書社　一九八七年二月第一版
中國文學批評史（全三册）　王運熙　顧易生主編　上海古籍出版社　一九八七年六月第三版
二十世紀文學理論　（荷）佛克馬（Fokkema）蟻布思合著　袁鶴翔等譯　香港中文大學出版社　一九八五年初版
文心雕龍研究　王更生著　文史哲出版社　民六五年三月初版　民七八年三月修訂三版
文心雕龍讀本　王更生（點校）注釋　文史哲出版社　民七四年三月初版
六朝文論　廖蔚卿著　聯經出版事業公司　民六七年四月初版　民七四年九月第三次印行

文心雕龍導讀　王更生著　華正書局　民七七年三月重修增訂一版
文心雕龍注　范文瀾注　學海出版社　民七七年三月臺一版
劉勰　劉綱紀著　東大圖書股份有限公司　民七八年九月初版

章實齋文學理論研究　羅思美著　台灣學生書局　民六五年八月初版
韓愈研究　羅聯添著　學生書局　民六六年十一月初版
古典文學論探索　王夢鷗著　正中書局　民七三年二月臺初版
歷代文人論文集　于忠善編選　北京文化藝術出版社　一九八五年四月第一版
王夫之詩論研究　楊松年著　文史哲出版社　民七五年十月初版
傳統文學論衡　王夢鷗著　時報文化出版公司　民七六年六月卅日初版
司馬遷傳記文學論稿　李少雍著　重慶出版社　一九八七年一月第一版

美學與語言　趙天儀著　三民書局　民六〇年五月初版
古書修辭例　張文治著　河洛圖書出版社　民六八年八月初版
古漢語修辭學資料匯編　鄭奠　譚全基編　北京商務印書館　一九八〇年七月第一版
修辭析論　董季棠著　益智書局　民七十年十月初版

修辭學　黃慶萱著　三民書局　民七五年十二月增訂初版
修辭學發凡　陳望道著　文史哲出版社　民七八年一月再版
中國修辭學史　鄭子瑜著　文史哲出版社　民七九年二月初版
中國歷代小說論著選上、下册　黃霖　韓同文選注　江西人民出版社　一九八二年十月第一版
歷代小說序跋選注　文鏡文化事業公司　民七三年六月初版
中國小說敍事模式的轉變　陳平原著　上海人民出版社　一九八八年三月第一版
中國白話小說史　（美）韓南著　尹慧珉譯　浙江古籍出版社　一九八九年第一版
從傳統到現代——十九至二十世紀轉折時期的中國小說　（加）米列娜（Milena Dolezelova－Velingerova）　伍曉民譯　北京大學出版社　一九九一年十月第一版

㈢論文集

中國傳記的幾個問題　但尼斯推及特（Denis Twitchett）著　中國歷史人物論集頁二八～四五　中央研究院中美人文社會科學合作委員會譯　正中書局　民六二年四月臺一版
章實齋之史學　傅振倫著　中國史學史論文選集第二册頁七八五—八一三　華世出版社　民六五年九月初版
經學與史學　錢穆著　中國史學史論文選集第一册頁一二〇—一三七　華世出版社　民六五年九月

初版
兩晉六朝的史學　呂謙舉著　中國史學史論文選集第一册頁三四八—三六一　華世出版社　民六五年九月初版
唐代大士族的進士第　毛漢光著　中央研究院成立五十週年紀念論文集第二輯人文社會科學頁五九三—六一五　民六七年七月
談中國長篇小說的結構問題　浦安迪著　文學評論第三集　巨流圖書公司　民六九年
唐人小說概述　王師夢鷗著　中國古典小說研究專集第三輯頁三七—四七　靜宜文理學院中國古典小說研究中心編　聯經出版事業公司印行　民七十年六月初版
魏晉別傳的時代性格　逯耀東　國際漢學會議論文集歷史考古組頁六三五—六五一　民七〇年十月
中國敍事詩的發展　黃景進　中國詩歌研究頁一—二七　中華文化復興運動推行委員會主編　中央文物供應社　民七四年六月初版
道德判斷與歷史研究　張哲郎著　中西史學史研討會論文集（第一屆）頁一八一—二二五　國立中興大學歷史系主編　久洋出版社　民七五年一月
四至七世紀「以史制君」觀念對官修制度的影響　雷家驥著　國立中興大學歷史系主編　中西史學史研討會論文集（第一屆）頁七—五五　久洋出版社　民七五年一月
中國傳統知識份子對歷史知識的態度——以顧炎武爲中心　古偉瀛著　國際歷史教育研討會論文集

師範大學歷史系所編　民七五年六月
人倫識鑑與文學批評的關係　王金凌著　古典文學第九集頁一〇五—一三〇　民七六年四月初版
論魏晉南北朝文質觀念及其所衍生諸問題　顏崑陽著　古典文學第九集頁五三—一〇四　民七六年四月
唐代君主的史學教育　張榮芳著　中西史學史研討會論文集（第二屆）頁一二五—一六二　國立中興大學歷史系主編　久洋出版社　民七六年八月初版
史傳論贊形式與左傳「君子曰」　逯耀東著　王任光教授七秩嵩慶論文集頁七九—九四　文史哲出版社　民七七年四月初版
論文心雕龍「辯證性的文體觀念架構」　顏崑陽著　中國文學批評研討會論文集—以文心雕龍爲中心頁七三—一二四　中國古典文學研究會·國立台灣師範大學編　台灣學生書局民七七年五月初版
怎樣閱讀中國敍事文——從左傳文藝欣賞談起　王靖宇著　中國文哲研究的回顧與展望論文集頁一—一八　鍾彩鈞主編　中央研究院中國文哲研究所　民八一年五月
中國文學批評用語語義含糊之問題　楊松年著　中國古典文學批評論集頁一—一六　香港三聯書店一九八七年七月第一版
論中國敍事文學的批評理論　（美）浦安迪著　陳西中譯　中國文藝思想史論叢第三輯頁三四三—三六五　北京大學出版社　一九八八年六月第一版

(四)期　刊

漢隋間之史學——史學及史著　鄭鶴聲著　東南大學史地學報第三卷七、八期頁五三—八一，四二—六六　民十四年三、十月

漢晉之際士之新自覺與新思潮　余英時著　新亞學報第四卷一期頁二五—一四四　民四八年八月

略論魏晉南北朝學術文化與當時門第之關係　錢穆著　新亞學報第五卷二期頁二三—七七　民五二年八月

論唐代士風與文學　臺靜農著　國立台灣大學文史學報第一四期　民五四年十一月

唐初南北學人論學之異趣及其影響　牟潤孫著　香港中文大學中國文化研究所學報第一卷頁五〇—八七　民五七年九月創刊號

魏晉雜傳與中正品狀的關係　逯耀東著　中國學人第二期頁六九—七八　民五九年九月

隋唐經籍志史部雜傳類的分析　逯耀東著　輔仁大學文學院人文學報第一期頁一—三六　民五九年九月

魏晉玄學與個人意識醒覺的關係　逯耀東著　史原第二期頁一—一五　台大歷史學研究所　民六〇年十月十日

魏晉對歷史人物評論標準的轉變　逯耀東著　食貨月刊復刊三卷第一期頁一七—廿三　民六二年四月十五日

別傳在魏晉史學中的地位　逯耀東著　幼獅學誌十二卷第一期頁一—三八　民六三年六月

魏晉史學的思想與社會基礎　逯耀東著　中華文化復興月刊第八卷第六期頁三九—四一　民六四年六月

唐初修史家的文學觀　黃春貴著　中華文化復興月刊第一四卷第一期頁三一—三五

文心雕龍史傳篇題述　李曰剛著　中華文化復興月刊第十四卷七期頁六四—七〇

從隋書經籍志史部的形成論魏晉史學轉變的歷程　逯耀東著　食貨月刊第十卷四期頁一二一—一四二　民六九年七月十五日

中國史家的史德修養及其根源　雷家驥著　鵝湖月刊第七十四期　民七〇年八月

魏晉志異小說與史學的關係　逯耀東著　食貨月刊復刊第十二卷二期頁一四—廿五　民七一年八月

經史分途與史學評論的萌芽　逯耀東著　大陸雜誌第七一卷第六期頁二四九—二五五　民七四年十二月

裴松之與魏晉史學評論　逯耀東著　食貨月刊第十五卷三、四期頁九三—一〇七　民七四年九月一日

名敎危機與魏晉士風的演變　余英時著　食貨月刊復刊第九卷七、八期合刊頁二四七—二六九　民六八年十一月一日

唐代官僚體系中的史官　張榮芳著　食貨月刊復刊十一卷六期頁二六〇—二八五　民七〇年九月一

日
唐代史館的組織與演變——兼述起居郎、舍人　張榮芳著　大陸雜誌六三卷四期頁三一—三九　民七〇年十月十五日
唐代史官入仕途徑、地域與交遊之分析　張榮芳著　大陸雜誌第六十四卷第五期頁二一二—二二九　民七一年五月十五日
兩漢至唐初的歷史觀念與意識㈠～(十一)——兼論其與史學成立的關係　雷家驥著　華學月刊第一三六期～第一五一期　民七二年四月二一日～民七三年七月二一日
唐代設館修史制度探微　邱添生著　師大歷史學報第十四期頁一—三三　民七五年六月
漢唐之間二體論與古今正史之爭　雷家驥著　東吳文史學報第五期頁廿六—五二　民七五年八月
唐初官修史著的基本觀念與意識　雷家驥著　師大歷史學報第十五期頁廿六—六二　民七六年六月
文學批評的理論與實踐　張雙英著　文訊月刊第三三期頁七—四五　民七六年十二月
唐代君主的史學教育　張榮芳著　食貨月刊第一六卷七、八期合刊頁二七五—二九一　民七六年七月十五日
歷史敍述中的虛構——作爲文學的歷史敍述　楊周翰著　當代第二十九期頁三〇—四七　民七七年九月一日
唐前期國史官修體制的演變——兼論館院學派的史學批評及其影響　雷家驥著　東吳文史學報第七

號頁一—三六　民七八年三月

唐人以詩取士嗎？　簡錦松著　國文天地第五五期頁三二—三五　民七八年十二月一日

再談唐人以詩賦取士嗎？——兼論「詩賦」在唐代進士科考中的地位　簡恩定著　國文天地第五八期　民七九年三月一日

※　※　※　※

魏晉南北朝和唐代文學批評中的文質論　王運熙　楊明合著　文藝理論研究一九八〇年第二期頁一三七—一四七

試論漢唐史學中的家學傳統　瞿林東著　遼寧大學學報一九八一年第一期頁五九—六四

試論我國古代重要文學樣式的發生發展及其衰替與文學語言發展變化的關係　張志岳著　齊齊哈爾師範學院學報一九八一年第一～二期頁六二—七三

魏晉南北朝時期的歷史編纂學　黎子耀著　杭州大學學報第十一卷第一期頁一一九—一二五　一九八一年三月

韓非子據史論證和寓論斷於序事　楊釗著　史學史研究一九八一年第四期頁三一—三七

談歷史文學——談史學遺產答客問之四　白壽彝著　史學史研究一九八一年第四期頁一—八

令狐德棻和唐初史學　瞿林東著　人文雜誌一九八二年第一期頁一〇八—一一二

從隋志看漢隋之際史學的發展　施丁著　中華文史論叢一九八二年第二期頁二三九—二六一

論六朝文學理論發達的原因　張文勛著　社會科學戰線一九八二年第二期頁二八七—二九四
對史記傳記文學論的幾點異議　徐中文著　中國人民大學書報資料社頁八三—八九　一九八三年
史記漢書傳記文學二題　陳慶元著　南平師專學報一九八三年第三期頁三三—三六
中國古代傳記文學淺論　呂薇芬　徐公持著　文學遺產一九八三年第四期頁二七—三六
唐代文學思想發展中的幾個理論問題　羅宗強著　中國社會科學一九八四年第五期頁一五九—一七五
中國的傳記寫作　（英）崔瑞德（Denis Twitchett）著　張書生譯　王毓銓校　史學史研究一九八五年四月頁七二—八〇，二〇—二一
隋唐文學理論述略　吳文治著　江蘇敎育學院學報頁四〇—四四，五九　一九八五年一月
試論春秋筆法對於後世文學理論的影響　敏澤著　社會科學戰線頁二五四—二六二　一九八五年三月
論我國古代文學批評的幾種主要模式　譚帆著　華東師範大學學報一九八五年第四期頁四六—五一
《左傳》修辭中的「傍犯」問題　曹虹著　南京大學學報一九八六年第三期頁七二—七六
我國古代文苑中一個被遺忘了的角落—自傳文散論　唐曉萍著　廣西師院學報一九八七年第三期頁九六—一〇一
論中國敍事文學的演變軌迹　董乃斌著　文學遺產一九八七年第五期頁二八—三六

中國古代小說起源和民族傳統　黃鈞著　文學遺產一九八七年第五期頁三七—四三

「史傳」、「詩騷」傳統與小說敍事模式的轉變　從新小說到現代小說　陳平原著　文學評論一九八八年第一期頁九二—一〇四

唐代史館建制與館內外修史實況的考察　房鑫亮著　華東師範大學學報一九八八年第六期頁七四—七八

唐初史傳文學的成就　李少雍　文學遺產一九八九年第四期頁八八—九六

歷史傳奇：史傳傳統與史詩模式　朱水涌著　文學評論一九九〇年第二期頁一〇九—一一四

從史的政事紀要式到小說的生活細節化——論唐傳奇與小說文體的獨立　董乃斌著　文學遺產一九九〇年第五期頁七九—八六

(五)工具書

雲五社會科學大辭典第十二冊歷史學　方豪主編　台灣商務印書館　民六十二年十二月

中國歷史大辭典——史學史卷　中國歷史大辭典・史學史卷編纂委員會編　上海辭書出版社　一九八三年十二月第一版

中國古代文學理論辭典　趙則誠　張連弟　畢萬忱主編　吉林文史出版社　一九八五年七月第一版

觀念史大辭典第四冊自然與歷史卷　李亦園總審訂　古偉瀛　黃俊傑　鄒理民　蔡英文　蔡英俊審訂委員　幼獅文化事業公司　民七十六年十月初版

中國大百科全書——中國文學卷　中國大百科全書編輯委員會《中國文學》編輯委員會編　北京中國大百科全書出版社　一九八八年九月第二版
漢語修辭格大辭典　唐松波　黃建霖主編　北京中國國際廣播出版社　一九八九年十二月第一版
古代小說鑒賞辭典　古代小說鑒賞辭典編輯委員會編　北京學苑出版社　一九八九年十月第一版

(六)外　文

支那史學史　內藤虎次郎著　東京弘文堂　一九四九年五月二五日初版　內藤湖南全集第十一卷　東京筑摩書房　一九六九年十一月三十日
文獻目錄を通して見た六朝の歷史意識　重澤俊郎著　東洋史研究第十八卷第一號頁一——一六　一九五九年七月
古代に於ける歷史記述形態の變遷　貝塚茂樹著　貝塚茂樹著作集第七卷頁二〇三——二三〇　東京中央公論社　一九七七年三月十日
初唐歷史家の文學思想——太宗期編纂の前代史文苑傳序を中心に　古川末喜著　中國文學論集第九號頁九——二九　九州大學中國文學會　一九八〇年十一月一日
續・初唐歷史家の文學思想　古川末喜著　中國文學論集第十號頁一九——三九　九州大學中國文學會　一九八〇年十一月一日
中國史——そのしたたかな軌跡　增井經夫著　東京三省堂株式會社　一九八一年九月三十

HISTORY

Charles S. Gardner, "*Chinese Traditional Historiography*", Cambridge: Harvard University Press, 1961.

Denis Twitchett, "*Problems of Chinese Biograph*", in "Confucian Personalities", Stanford: Stanford University Press, 1962, pp24-39.

———, "*The Writing of Official History Under the Tang*", N.Y.: Cambridge University Press, 1992.

G. P. Gooch, "*History & Historians in the Nineteenth Century*", Boston: Beacon Press, 1959.

Harry Elmer Barnes, "*A History of Historical Writing*", Toronto: Genneral Publishing Company, 1963, 2nd revised edition.

Hans-Georg Gadamer, "*Truth and Method*", N.Y.: Seabury Press, 1985.

karl Popper, "*The Poverty of Historicism*", London: Routledge and Kegan Paul Limited, 1957.（台北：虹橋書店，民六十年五月一日臺一版）

Lien-Sheng Yang（楊聯陞）, "*Studies in Chinese Institutional History*", Cambridge: Harvard-Yenching Institute, 1961.

Louis Gottschalk, "*Understanding History: A Primer of Historical Method*", N.Y.: Alfred A. Knopf, 1969, 2nd edition.（台北：虹橋書店，民六十年四月一日臺一版）

Patrick Gardiner, "*The Nature of Historical Explanation*", London: Oxford University, 1952.（台北：虹橋書局，民六十年四月一日臺一版）

———, "*Theories of History*", N.Y.: The Free Press（A Division of Macmillam Publishing Co.）& London: Collier Macmillan Publishers, 1959.（台北：雙葉書店，民七三年臺一版）

Trygve R. Tholfsen, "*Historical Thinking*", N.Y.: Harper & Row Publishers, 1967.

Wiliam A. Dunning, "*Truth in History*", N.Y.: Kennikat Press, 1965, 3rd edition.

William Dray, "*Laws And Explanation in History*", London: Oxford University Press, 1957.（台北：虹橋書店，民六二年二月十六日臺一版）

W. G. Beasley & E. G. Pulleyblank, "*Historians of China and Japan*", London: Oxford University Press, 1961.（台北：虹橋書店，民六一年七月十六日臺一版）

William Hung（洪業）, "*A Bibliographical Controversy at the T'ang Court A.D. 719*", Vol. 20 in Harvard Journal of Asiatic Studies, 1957, pp74-134.

———,"*The T'ang bureau of Historiography before 708*", Vol.23 in HJAS, 1960-1961, pp93-107.

* * * * * * *

LITERATURE

Andrew H. Plaks, "*Chinese Narrative: Critical and Theoretical Essays*", New Jersey: Princeton University Press, 1977.（台北：敦煌書局，民六八年六月臺一版）

Dore J. Levy, "*Chinese Narrative Poetry: The Late Han through T'ang Dynasties*", Durham & London: Duke University Press, 1988.

Elly Hagenaar, "*Stream of Consciousness and Free Indirect Discourse in Modern Chinese Literature*", Netherlands: Center of Non-Western studies of Leiden University, 1992.

Gerard Genette, "*Narrative Discourse: An Essay in Method*", Ithaca & N.Y.: Cornell University Press, 1980.

Gerald Prince, "*Dictionary of Narratology*", Lincoln & London: University of Nebraska Press, 1987.

Josef Bleicher, "*Contemporary Hermeneutics: Hermeneutics as Method, Philosophy and Critique*", London & N.Y.: Routledge & Kegan Paul, 1982.

Robert Scholes & Robert Kellogg, "*The Nature of Narrative*", N.Y.: Oxford University Press, 1966.（台北：文鶴出版有限公司，民六七年七月臺一版）

Wallace Martin, "*Recent Theories of Narrative*", Ithaca: Cornell University Press, 1986.

後記

這是我第一本書，也是我第一本學位論文。

民國七十二年進入政大中文系，由於李威熊老師帶領，使我培養出讀史的興趣。七十六年進入中文所選擇《史通》來研究，乃得之於喬衍琯老師的提示，至於研究《史通》的切點，則多蒙黃景進老師的啓發。撰寫論文時爲求對中國史學思想的發展有更深入的了解，我曾到史研所旁聽杜維運老師一年史學史專題研究的課，並蒙應允參與課堂討論，論文口試時杜師及賴明德老師，對於論文多予肯定少予厚責，並期勉我日後研究的路向。

當年整理《史通》的歷史敍述理論時，雖欲架構其體系，然亦時持戒愼，若知幾之所未語不敢牽強附會其完整，因此歸納出來的，大抵力求前賢研究爲基礎加以論就。論文撰成後，得到不少師友的指教，三年來不曾怠忽續收新刊的中日相關研究，也特別加強英文方面的文獻。這期間透過西文的閱讀，對於西方「歷史敍述」一詞的掌握更爲明晰，也屢思論文架構是否配合妥當。

去年四月父親告知行政院新聞局補助學術專門著作出版，我以文章既成，得失自知，修繕未竟，而不想申請，遲至截止日，父親再三鼓勵才鼓足餘勇姑且一試，因此未曾寄望處女作得以脫穎而出。六月底結果揭曉，竟然幸運入選，評審意見頗多贊許，並對修稿提供建議。我天性疏怯，本書得以出版多賴新聞局的資助和督促，當然若無黃老師悉心的教導和父親的堅持，本書亦難面世。

這一年課業、工作兩面繁忙，修繕進度難求一氣呵成，月前奪空，加緊釐定章節，增新補闕，勘誤定訛，如今暫告一段落，篇幅比原來增加了十六頁。研究工作好比漫長寂寞的馬拉松賽，現在剛跑完一個賽程，感覺一陣輕鬆，然而更多的卻是疲乏，因爲這個終點不過是無止境研究過程中的一個小站，沒有半點自我陶醉的理由。不過因爲這本書讓我發現了生命的綺麗風光，找到了我這一生最値珍愛的寶貝，則彌足欣喜。

現在書稿即將付梓，謹將研究成果獻給父親還有忍讓我因撰寫論文帶來許多不便的家人，以及時時砥礪我、給我信心勇氣的煖蓮和妙芬。

民國八十二年六月二十日彭雅玲識於養心雅齋